FAIS DODO MON TRÉSOR

SYLVIE GALARNEAU

Fais dodo mon trésor

COMMENT FAVORISER LE SOMMEIL
DE VOTRE ENFANT

MNH

Nous remercions le Conseil des Arts du Canada de l'aide accordée à notre programme de publication.

Nous remercions la SODEC pour son programme d'aide aux entreprises du livre et de l'édition spécialisée.

Dépôt légal :

      Bibliothèque nationale du Québec, 2001

      Bibliothèque nationale du Canada, 2001

Tél./téléc. : (418) 666-8961 / (888) 666-8961

Courriel : mnh@videotron.ca

Site Web : mnh.ca / mnh.qc.ca

ISBN 2-921912-43-0

Distribution de livres UNIVERS

845, rue Marie-Victorin

Saint-Nicolas (Québec)

Canada G7A 3S8

Tél. (418) 831-7474 ou 1 800 859-7474

Téléc. (418) 831-4021

Imprimé au Canada

AVERTISSEMENT

Quel que soit le problème de sommeil d'un enfant, on doit toujours s'assurer auprès d'une personne compétente si, en premier lieu, il s'agit d'un malaise physique ou chronique.

Les conseils et les indications que l'on retrouve dans ce livre doivent être adaptés à chaque situation personnelle, à partir de la connaissance que le parent a de son enfant et selon son intuition*.

Important : les interventions proposées n'excluent en rien les soins recommandés par le corps médical.

---

*   Au cours de cet ouvrage, on fera souvent appel à l'intuition du parent. Même si cette voix intérieure n'est pas toujours facilement identifiable, elle demeure un outil important à développer.

*Je dédie ce livre
à ceux et celles
qui cherchent
un meilleur sommeil
et
souhaitent
une éducation
inspirée d'équilibre.*

REMERCIEMENTS

Aux auteurs et aux chercheurs qui m'ont aidée à pénétrer un peu plus le monde des enfants et de leur sommeil.

À tous les parents que j'ai croisés et côtoyés ; ils ont constitué la trame vivante à partir de laquelle j'ai élaboré ma démarche.

Aux personnes qui ont participé à la lecture du manuscrit et dont les commentaires pertinents m'ont permis de l'améliorer. À chacune d'elle : « Merci pour votre franchise et votre générosité ! »

Aux personnes de mon entourage qui ont cru en la réalisation de ce projet par leurs pensées, leurs encouragements et leur amitié fidèle.

MERCI PARTICULIER

À mes commanditaires, les manufacturiers d'accessoires, meubles, literie et vêtements pour enfant *Morigeau-Lépine* et *Perlimpinpin* qui ont appuyé la production de la première édition de ce livre. Je suis très honorée de la participation d'entreprises aussi dynamiques et sensibles aux besoins des enfants et des parents. Je vous encourage à les découvrir si ce n'est déjà fait.

MERCI SPÉCIAL

Aux Publications MNH, pour leur magnifique travail, leur accueil, leur ouverture d'esprit et pour le respect si précieux à un auteur... Merci à André Martin, pour son calme communicatif, sa patience et son franc regard.

Au docteur Gilles R. Lapointe, pour son dynamisme contagieux et sa confiance en mon projet. Sa préface m'est un cadeau considérable !

À Érica Charest pour son dessin empreint de finesse et de spontanéité.

À Denis Galarneau qui, par sa patience, son don du pinceau et des couleurs, a su « donner vie » à mon petit trésor !

À Jacqueline Gagnon, complice des toutes premières heures, pour son dévouement fidèle à mes nombreuses questions d'écriture.

À Ghislain Fréchette, pour sa bonne humeur contagieuse et sa générosité à corriger mes ébauches.

À Ghyslaine Foley, pour son amitié et sa précieuse disponibilité au cours de la première révision du manuscrit.

À Sylvie Forest, pour son encouragement constant. Elle m'a transmis une confiance stimulante pour aller au bout de ce projet.

À ma mère, Émilia Langlois, pour sa présence chaleureuse dans ma vie et mes souvenirs d'enfance ; elle m'a bien préparée à la maternité et à bien plus encore.

À mon père, Paul Galarneau, pour son grand cœur et pour m'avoir communiqué l'amour de la nature.

À mon époux, Yves Champagne, pour sa patience, sa compréhension et son accueil inconditionnels face à mes doutes et à mes transformations. Merci Yves de ton soutien fidèle à plusieurs niveaux !

À notre fils Pascal, dont la joie, la sensibilité et l'éveil me donnent envie d'aller toujours plus loin !

NOTES DE L'AUTEURE

Le terme « parents » est généralement employé pour citer les personnes responsables de l'éducation de l'enfant. Il inclut les personnes monoparentales et les tuteurs.

Afin d'éviter la répétition, des appellations variées désignent l'enfant. Dans son sens large, le mot « enfant » couvre la période de la naissance à l'adolescence ; de façon plus précise, le terme « nourrisson » concerne la phase où il est principalement nourri de lait et le mot « bébé » touche la très jeune enfance.

Pour des fins pratiques seulement, le masculin est souvent utilisé et inclut le féminin.

Plusieurs citations dans ce volume ont pour but de rappeler au lecteur que des termes et des méthodes ont été empruntés à d'autres auteurs et à des chercheurs.

L'ensemble de cet écrit se veut accessible et assez familier. À partir de ce minimum de connaissances, chaque parent pourra poursuivre sa recherche. Sans devenir un spécialiste, je l'encourage à se documenter, car bien outillé, il s'approprie un plus grand pouvoir d'action et il s'en remet moins aux autres.

AVANT-PROPOS

Quelle merveille que de regarder son enfant dormir paisiblement ! On se sent alors plus près de l'essentiel. Le sommeil de l'enfant est un moment d'inspir profond dans son quotidien chargé des apprentissages intenses de la vie, un petit coup de lumière qu'il s'offre, lui permettant de se re-poser dans l'être et de puiser abondamment à même une source mystérieuse de calme, d'équilibre et d'immunité. Ce n'est pas un luxe de bien dormir ! Reconnaître l'importance et le caractère sacré du sommeil s'impose en notre ère d'agitation et de stimulation extrêmes. Hélas, même les enfants n'arrivent pas toujours très bien à lâcher prise. *Fais dodo mon trésor* de madame Sylvie Galarneau est une source d'espoir pour les parents aux prises avec les angoissants troubles du sommeil de leurs petits, véritables cauchemars qui, bien entendu, deviennent les leurs, car qui les console ? Ce thème délicat est approché avec rigueur, compétence, discernement et sensibilité par madame Galarneau. Son livre fera des heureux, petits et grands, qui y trouveront des clés importantes du légendaire sommeil du juste. Que la difficulté de dormir qui vous afflige soit occasionnelle ou enracinée, qu'elle ait des racines physiologiques ou émotionnelles, ce merveilleux livre de chevet vous séduira et enrichira votre compréhension tout en vous fournissant des outils nécessaires à l'apaisement et à la guérison. Je le recommande chaudement. Bonnes nuits, beaux rêves !

Danièle Laberge
herboriste
L'Armoire aux herbes, inc.

PRÉFACE

Elle a rêvé, espéré, osé et réalisé !

Ce volume est l'aboutissement de plusieurs années d'effort et de travail acharné. Riche de son expérience de mère qu'elle a renforcée de recherches pratiques et scientifiques, madame Galarneau aborde un sujet complexe vis-à-vis duquel trop de parents se sentent désarmés : que faire avec un enfant qui ne dort pas ?

Ayant vécu le problème, l'auteure désire aider les parents aux prises avec ce cauchemar.

Ne voulant nullement se prétendre médecin, pédiatre ou psychologue, elle aborde ce sujet avec simplicité et va à l'essentiel d'une manière éclairée et concise.

Le livre est empreint d'amour parental et de conseils de tous les jours essentiels aux parents qui font face au problème. L'auteure n'apporte pas de solutions « toutes cuites » mais elle éveille les parents à observer ce qui favorise ou non le bien-être de l'enfant. Elle nous livre ses années d'observation et de recherche ; elle nous raconte sa propre expérience et sa vision de l'influence et de la responsabilité des parents devant le sommeil de leur enfant.

Plusieurs écoles de pensée ont esquissé les façons d'inciter les enfants au sommeil, se démarquant les unes des autres par les « à faire » et « à ne pas faire ». Il est souvent difficile pour les parents de se situer face à des méthodes et conseils parfois trop scientifiques ou trop peu réalistes. Madame Galarneau propose ici une approche simple et pratico-pratique. Elle a su bien intégrer théorie, science, logique et pratique en un tout incluant des tableaux synthèses qui facilitent la compréhension. Il n'existe pas de mode d'emploi ou de recette pré-établie sur le sujet. L'auteure nous démontre que le problème ne vient pas toujours de l'enfant et qu'on ne peut pas toujours expliquer la situation par une pathologie. Plusieurs facteurs, tant physiques qu'émotionnels, exercent une influence importante sur le sommeil de l'enfant.

Par le fruit de ses recherches, elle donne aux parents des moyens de comprendre le langage de l'enfant au berceau. Il est aussi important de tenir compte de l'aménagement physique (aération, éclairage, jouets) que des aspects psychologique, affectif et spirituel. L'auteure résume très bien cette approche et je cite : « Le parent attentif est en mesure de "faire les liens" entre une expérience vécue par l'enfant et une difficulté de sommeil. [...] Si la situation dérangeante concerne directement le parent, il doit veiller le plus possible à protéger l'enfant de ses problèmes d'adulte. »

Étant médecin, un des aspects les plus importants que je préconise face à une bonne qualité de vie, c'est le repos. Le corps se régénère en se reposant ; il refait son système de défense par le sommeil et par une bonne alimentation dès l'aube de la vie.

Mes sincères félicitations à madame Galarneau ; bonne lecture et longue vie aux familles qui s'enrichissent de mieux comprendre !

Gilles R. Lapointe, m.d.

INTRODUCTION

Les parents ont toujours été les plus directement touchés par la qualité du sommeil de leurs enfants et ce, bien avant que les scientifiques et les spécialistes s'y intéressent de façon systématique. Souvent tiraillés entre la théorie et la pratique, les parents sont confrontés à des situations nocturnes où ils doivent user de leurs ressources avec adresse.

À la lumière de mes rencontres régulières avec de jeunes mamans, j'ai constaté que de nombreux parents souhaitent ou cherchent une solution aux réveils de leurs petits. Concernée par le sommeil entrecoupé de mon fils, j'ai observé différentes façons d'aborder cette situation. Au-delà des divergences d'opinions, j'ai cherché à approfondir cette question.

Cette soif de mieux connaître m'a d'abord amenée à considérer plus particulièrement les attitudes parentales lors des réveils. L'équilibre m'est ensuite apparu comme une valeur fondamentale dans l'éducation à un meilleur sommeil et dans le rapport harmonieux parent-enfant. Sur ces bases, mon projet d'écriture a grandi et a dépassé les limites du questionnement personnel. Au cours de ma recherche, les problèmes reliés au sommeil du bébé et de l'enfant se sont révélés des plus divers, tout comme leurs causes et leurs solutions. Toutefois, un fil conducteur est demeuré : **les sujets traités et les trucs suggérés aux parents visent à sauvegarder leur sommeil et non à les amener à s'adapter aux réveils.**

Dans ce volume, je ne prétends pas apporter de solutions passe-partout ou des recettes miracles. Y dévoiler une ligne de conduite précise rendrait le rôle des parents bien monotone... **Les meilleurs résultats sont les fruits de l'attention, de la vigilance et de l'intuition des parents ou des substituts. À autant de problèmes peuvent correspondre autant de solutions.**

Toutefois, une meilleure connaissance du sommeil de l'enfant vous révélera des principes simples, de même qu'un merveilleux fonctionnement auquel vous pouvez participer. Vous y découvrirez des outils et des informations reliées de près ou de loin au sommeil de l'enfant. C'est pourquoi, tout au cours de ce volume, le sommeil sera « bordé » de nombreuses valeurs humaines. Vous serez donc invités à explorer des sentiers qui passent par des trucs simples du quotidien et d'autres qui mènent au-delà des techniques et des théories.

Pour ce faire, ce volume a été organisé en fonction d'un cheminement progressif. À ce titre, il sera préférable de le lire dans l'ordre des chapitres proposé afin de mieux saisir les idées qui les relient. Toutefois, pour le parent désireux d'aller immédiatement au coeur du sujet qui l'intéresse, les thèmes de chacun des chapitres sont suffisamment explicites pour qu'il s'y retrouve.

Si mon expérience personnelle et ma démarche peuvent servir de référence et apporter des outils, mon travail franchira alors son étape de floraison...

PARTIE I

LES ATTITUDES PARENTALES : AMIES OU ENNEMIES DU SOMMEIL DE L'ENFANT ?

(REGARD SUR LES ATTITUDES FAVORABLES OU NUISIBLES)

CHAPITRE 1

À LA RECHERCHE D'UN MEILLEUR SOMMEIL

(TÉMOIGNAGE PERSONNEL)

LES NUITS DE PASCAL

Il y a des événements qui nous marquent, nous imprègnent et demeurent comme suspendus dans le temps. En réalité, ils nichent au fond de nous, là où la matière n'a pas d'emprise. C'est ce qu'on appelle communément les expériences vécues... Ineffaçables, elles nous reviennent par moments sous formes d'images, semblables à un film au cinéma.

On vient tout juste de me confirmer que je suis enceinte. Quoique je m'y attendais, le fait de l'entendre dire m'impressionne d'une autre manière. Oui, c'est vrai ! Je prends lentement contact avec une nouvelle réalité : la grossesse. En posant mon regard sur la ville, les maisons et les montagnes au loin, j'ai l'impression de les voir pour la première fois, ou du moins, enrobées d'une nouvelle dimension, une dimension élargie... Pendant ce temps, discrètement, mon compagnon de vie est là tout près de moi, attentif et heureux. Quelle joie ! Je pressens à la fois la grâce et la grande responsabilité de porter en moi un être humain. Est-ce que je serai une bonne mère ? Mon corps vibre d'émotions que je contiens difficilement.

Les jours passent et ma grossesse file semblable au courant d'un ruisseau ; un ruisseau discret, riche d'un rythme incessant et cachant dans ses profondeurs, un précieux trésor. Doucement et secrètement, le chant du ruisseau forme le nom de ce bonheur : *Pascal.*

Chaque semaine, chaque mois ou trimestre apporte ses changements et cela m'émerveille. Je découvre à quel point la nature est bien faite et l'importance de chacune des étapes, sans nostalgie du passé ni hâte de l'avenir. La satisfaction du présent. Je vis pleinement cette première grossesse avec mon conjoint, dans le partage de nos idéaux, des joies et des interrogations qui surgissent lorsque nous sommes face à l'inconnu. Ce n'est pas toujours facile ni parfait, mais nous la vivons au meilleur de nous-mêmes.

Même attitude lors de la naissance : malgré le contexte hospitalier peu intime, cette expérience s'avère satisfaisante et enrichissante.

Le retour à la maison me trempe entièrement dans le bain. Comme je n'ai pas cohabité avec notre bébé à l'hôpital, c'est en retrouvant l'intimité de notre foyer que mon rôle de mère se manifeste plus concrètement et assidûment. Bien que l'allaitement ait déjà amorcé ce processus d'apprivoisement, j'ai encore beaucoup à découvrir des multiples aspects du maternage. Je ressens que cette dimension de la féminité n'est pas toujours aisée et que les gestes qu'une mère doit poser ne sont pas nécessairement évidents. De plus, j'en suis à mon premier bébé...

Malgré l'inexpérience, les activités quotidiennes s'accumulent et m'apportent une plus grande confiance en ma compétence de mère. Soutenue par le père, je découvre mes ressources et je m'empresse de bien répondre aux besoins du nouveau-né en lui donnant le meilleur de moi-même. Les premières semaines après la naissance de Pascal ne me laissent guère le temps de vaquer à d'autres occupations qu'aux soins du bébé et aux miens. Je vis au rythme de notre fils.

Les nuits de Pascal ne me tracassent pas vraiment ; je suis heureuse de donner et mon mari aussi. Je suis tellement occupée et réjouie par la présence du bébé que le sommeil entrecoupé fait partie de l'adaptation générale, rien de plus. Je ne ressens pas la nécessité de dormir une nuit complète ; bref, cette situation ne nous inquiète pas.

Tout à coup, à onze semaines, il fait sa première nuit. De 20 h 30 à 6 h. Qu'a-t-on fait de spécial ? Rien du tout. J'en conclus que nous faisons partie des parents chanceux. Je n'ai pas d'autre explication. Toutefois un fait est sûr, nous accueillons ce nouveau rythme avec joie ! Même si je ne me plaignais pas du boire que je lui donnais la nuit et même si mon mari n'était pas incommodé par le changement de couche correspondant, il est maintenant bon de goûter à de longues heures de sommeil ininterrompu. Nous le réalisons davantage un mois plus tard... lorsque notre fils recommence à se réveiller la nuit. Cette fois, nous avons savouré suffisamment de longues nuits de sommeil pour qu'elles nous laissent un goût de « revenez-y ».

On cherche alors à savoir pourquoi il se réveille. Le jour, il ne manifeste pas qu'il a faim. Pourquoi le rythme est-il soudainement brisé ? C'est en parlant avec d'autres mères allaitantes que j'en arrive à l'hypothèse des maux de dents. (Bien des problèmes sont trop souvent portés à leur compte !) Cette déduction est plausible, car il salive de plus en plus ; pourtant, je le trouve un peu jeune pour percer ses dents. Justement, qu'il soit si jeune, à peine quatre mois, m'empêche de le laisser pleurer. Il est si petit... Alors, lorsqu'il se réveille la nuit, je lui donne le sein en pensant le soulager de maux de dents. Sa première dent perce environ un mois plus tard et les réveils sont plus fréquents durant les deux jours précédant son apparition. En sera-t-il ainsi tout le long de sa percée dentaire ? Ou ai-je encouragé une habitude ? Voilà les questions qui naissent en moi.

Le temps passe. Pascal continue d'avoir un sommeil irrégulier. Un jour pourtant, je provoque une réponse à mes questions. Voici un extrait de mon journal pour bébé :

À huit mois, un nouveau pas...

Maman vient de décider qu'elle en a assez de se réveiller la nuit ! Un bon dimanche soir où tu te réveilles à minuit, je te laisse pleurer pour savoir ce que signifie réellement ce réveil : la faim, les dents ou... simplement une habitude ? Après un bon vingt minutes, tu t'arrêtes de pleurer d'un seul coup et tu te rendors jusqu'à 7 h. Qu'elle est appréciée cette nuit de sommeil ! Le lendemain soir tu te réveilles à 22 h 30, tu pleures cinq minutes et te rendors jusqu'à 6 h le lendemain matin. Le surlendemain, tu dors toute la nuit !

Je remercie la petite voix qui m'a poussée à te laisser pleurer. Même si c'était difficile, je voulais en avoir le *cœur net*. Je constate maintenant que tes réveils nocturnes ont été davantage une habitude qu'un besoin essentiel. J'essaie de m'écouter tout en suivant les signes de ton évolution afin de répondre à tes besoins et de stimuler tes apprentissages.

Dans d'autres circonstances, mon attitude décidée aura d'autres conséquences. Un matin, après avoir laissé pleurer Pascal durant la nuit jusqu'à ce qu'il se rendorme, j'entre dans sa chambre et je le vois en diagonale dans sa couchette, la jambe toute froide et prise entre les barreaux. Était-il dans cette position depuis longtemps ? Était-ce la cause de ses pleurs durant la nuit ? Autant de questions me mettent le cœur à l'envers. Je me trouve tellement fautive d'avoir négligé de vérifier sa sécurité durant la nuit ! Cette expérience culpabilisante encouragera mon ambivalence. Pourtant, pour prolonger efficacement mon intervention, il aurait suffi de conserver les bons aspects de mon attitude et d'y ajouter les mesures de prudence et d'encadrement nécessaires.

Suite à cette situation, selon les circonstances, j'oscille entre le choix de l'allaiter ou de le laisser pleurer, sans vraiment chercher d'autres solutions ; jusqu'au jour où mes rencontres régulières avec des mères allaitantes font le poids dans ma balance. Allaiter la nuit est assez courant. Notre fils n'est pas le seul à se réveiller et il le fait moins souvent que d'autres ; alors je pense que cela est « normal ». De plus, l'allaitement est une solution facile et immédiate ! Cela apaise les pleurs de Pascal et il se rendort aussitôt. N'est-ce pas naturel d'allaiter la nuit ?... Évidemment tous les parents souhaitent dormir des nuits complètes mais, en quelque sorte, ils ne doivent pas trop y rêver... Voilà ma perception. Je m'attarde donc de moins en moins à l'importance de faire cesser les réveils, je cherche plutôt les avantages à m'y adapter.

Ma prédisposition intérieure, mon ambivalence et différentes circonstances extérieures favorisent donc *l'adaptation en douce à l'allaitement nocturne*. À la longue, j'acquiesce tout simplement aux réveils et j'agis ainsi durant les deux premières années de vie de Pascal. Il dort toutes ses nuits pendant une semaine, mais parfois, une nuit, il se réveille, vient nous rejoindre et reçoit une courte tétée.

Et le père dans tout cela ? Il est près de nous et respecte mes choix. Par la suite, lorsqu'on en reparlera, il me dira : « Bien souvent j'ai essayé de te dire d'être moins empressée face aux réveils. » Étant donné qu'il est en dehors du lien mère-enfant, sa perception plus objective se différencie de la mienne. Malgré la validité de ses opinions, je ne suis pas prête à les accueillir. En fait, il manque un morceau à mon casse-tête et je n'ai pas de vue d'ensemble ; je suis trop prise par les émotions. Même si parfois les réveils nous dérangent, je ne me rends pas à l'évidence. Lorsqu'il exprime son point de vue, il constate que je veux vivre ma maternité si intensément qu'il ne force pas les événements. Il se dit : « Elle doit vivre ses expériences jusqu'au bout ; un jour, elle le réalisera par elle-même. » En effet, ce n'est que plus tard, avec un recul, que je pourrai conclure simplement ceci : « J'ai encouragé les réveils de notre fils en l'allaitant la nuit, alors qu'il n'en avait plus besoin. » Avec ce même recul, je reconnaîtrai la confiance et la patience dont mon mari a fait preuve. Suite à cette expérience, j'apprendrai à laisser plus de place à « l'instinct paternel » et je comprendrai mieux le rôle du père. Ce rôle et ces gestes qui, par leur différence, dérangent parfois la mère, mais la complètent lorsqu'ils sont mieux connus*.

UN TOURNANT DÉCISIF

Même si nous nous sommes *adaptés à un rythme,* des questions non résolues demeurent : pourquoi un enfant se réveille-t-il la nuit ? Qu'en penser ? Que faire ? Intérieurement, j'interroge la vie à ce sujet.

Un jour, j'obtiens des éléments de réponse. Je lis alors tranquillement le livre de Johanne Verdon-Labelle, n.d., *Soigner avec Pureté.* Un chapitre contient diverses questions qui lui ont été posées régulièrement suite à la publication de son premier

---

*   Guy Corneau, psychanalyste de formation jungienne, apporte une vision claire et intéressante de la complémentarité parentale dans ses conférences et ses livres.

volume et lors de consultations. À la question numéro huit (p. 305), elle effleure le sujet qui m'intéresse vivement : les réveils du bébé. Voici ce que j'y lis :

> Pourquoi suggérez-vous de donner de l'eau la nuit lorsqu'un bébé s'éveille ?
>
> Il est normal qu'un bébé ne fasse pas ses nuits les deux ou trois premiers mois de sa vie. J'ai toutefois constaté qu'il arrive que certaines mères manquent un peu de fermeté en ce domaine. Évidemment, plusieurs facteurs sont à considérer et donner de l'eau n'est pas la situation idéale. Voilà pourquoi ce n'est plus la seule solution que je propose mais je me permets d'indiquer que le bébé doit ressentir (s'il ne la comprend pas) la manifestation de la loi de la compensation dans cet équilibre entre le jour et la vie* [sic].
>
> N.B. Dans certains cas, lorsque le bébé est nourri au sein, une révision du régime alimentaire de la mère s'avère nécessaire.

Cette lecture me fait l'effet d'une douche froide ! Ce qu'elle dit est plein de bon sens ; toutefois, je me sens si loin avec mes deux années derrière moi. Je ne peux tout saisir d'un seul coup. Autrement dit, j'avale, mais ça passe mal dans la gorge. Avec le temps, j'avais mis de côté mes élans d'affirmation pour laisser la place aux réveils. *Maintenant, je dois faire le chemin inverse...*

Mais pourquoi est-ce plus normal qu'un bébé de deux ou trois mois fasse ses nuits ? Surtout, comment faire pour y arriver et pour entretenir une continuité ? Madame Verdon souligne un point important : la fermeté de la mère. Je suis touchée au cœur de ma maternité !

Évidemment, cette découverte éveille d'autres questions : aurais-je mal agi, même si c'était en pensant donner le meilleur à notre enfant ? Peut-on trop donner ? Cela me fait mal, mais la situation n'est pas dramatique. Pascal grandit joyeusement et je dois me servir de cette prise de conscience pour observer et réajuster certains points de son éducation.

Finalement, au-delà des doutes et d'une certaine peur – celle de l'introspection –, la réponse apportée par madame Verdon-

---

*   L'auteure a sans doute voulu écrire nuit.

Labelle a l'effet d'un catalyseur. Elle réveille mes vieilles questions et me pousse à chercher des réponses. Inconsciemment, je viens de mettre en place le dernier morceau de mon casse-tête : la fermeté de la mère. Cette fermeté trouve sa raison d'être dans la loi de la compensation, juste équilibre entre le donner et le recevoir. Voici des extraits du volume *Soigner avec Pureté* (p.263) qui définissent la loi de la compensation :

> J'entends encore mon père me dire lorsque j'étais enfant : « Trop d'une bonne chose devient une mauvaise chose ». Cela m'intriguait toujours et je n'oubliai jamais cela. En vivant, en observant les gens malades et leurs troubles de santé, la nécessité de l'équilibre prit place de façon précise dans mon existence. (...) Voyons ici aussi ce que nous dit le dictionnaire. Compenser : **équilibrer un effet par un autre.** Cette loi est naturellement présente dans notre vie. Dès ses premiers jours, l'enfant vit cette loi : inspirer-expirer, boire-éliminer, bouger-dormir. L'alternance entre le jour et la nuit est aussi l'application de cette loi. Elle est nécessaire au maintien de l'équilibre et de l'harmonie. Physiquement l'être humain garde son équilibre en marchant, grâce à l'action de ses deux jambes, gauche-droite, gauche-droite, etc. Le travail doit être compensé par le repos, le chaud par le froid, le mouvement par la détente, et ainsi de suite.

La notion d'équilibre ayant déjà pris place dans ma vie, comment avais-je pu ignorer cette loi si longtemps et ne pas m'en inspirer ? Il y a de ces évidences parfois que l'on ne peut faire entièrement nôtres aussi facilement. Différentes « mises en situation » nous confrontent afin de les mettre en pratique et de mieux les assimiler.

Petit à petit, je m'imprègne de la valeur de cette loi et je souhaite connaître les solutions proposées par madame Verdon. Un jour, je la rencontre et je lui pose mes questions. Sans entrer dans les détails, elle m'indique brièvement les principaux aspects pouvant influencer les réveils tout en insistant sur l'attitude parentale. Je réalise qu'il n'y a pas de méthode précise et qu'il faut considérer plusieurs facteurs. C'est à partir de ces éléments que je réfléchis à mon expérience et que je poursuis ma recherche. Cette rencontre venait d'enclencher le long processus nécessaire à la réalisation de ce livre.

UNE SOLUTION INSPIRÉE DE L'ÉQUILIBRE

Ma nouvelle façon de voir m'apporte en même temps une solution. Toutefois, cette solution ne m'est pas servie sur un plateau d'argent, c'est-à-dire sous forme de remède magique que je n'ai qu'à donner. Sans saisir toute l'étendue de ma nouvelle prise de conscience, je sais que je dois remplacer de vieilles attitudes par de nouvelles. **La cessation des réveils de notre enfant dépend de moi** puisque je l'allaite ; de plus, mon conjoint ressent vivement la nécessité d'agir, mais sans trop savoir comment. Le besoin de sevrer Pascal la nuit devient donc un impératif. Cette fois-ci, je ne me sens pas coupable, je sais qu'il en est plus que temps !

Cette nuit arrive lorsque notre bambin de deux ans vient se glisser dans notre lit comme à l'accoutumée. Sauf que... maman a décidé de cesser d'allaiter la nuit ! Lorsqu'il me le demande, je lui réponds à peu près ceci : « Maman est fatiguée, elle doit faire dodo, tout comme papa et Pascal. Je donnerai la tétée demain matin lorsqu'il fera clair. Maintenant il fait noir, c'est la nuit, il faut dormir. » À son âge, en pleine phase d'affirmation, il ne reçoit pas mes paroles comme une cuillerée de miel ! Il fait une crise. J'ajoute alors qu'il peut venir nous rejoindre dans notre lit s'il se calme et accepte de dormir sans être allaité. Il demeure seul dans le passage durant un moment et finalement, après s'être calmé, il vient terminer sa nuit avec nous. Le lendemain, je lui en parle et ça ne semble pas l'avoir troublé. J'en profite pour expliquer davantage la signification de ma nouvelle attitude.

En sevrant Pascal la nuit, je réalise qu'une autre habitude, allant de pair avec l'allaitement nocturne, a suffi à entretenir les réveils : le partage du lit parental. Cette nuit-là, si je suis demeurée ferme pour l'allaitement, je n'ai pas voulu que la situation se corse davantage en imposant un double sevrage. Nous agissons donc progressivement. Cela demande de la patience et de la persévérance ; même si les réveils sont moins fréquents suite au sevrage nocturne, l'habitude de dormir un bout de nuit avec nous est bien ancrée. Nous raccompagnons souvent Pascal dans son lit en le bordant de brèves explications.

Ainsi s'estompent les réveils de Pascal.

PLUS TARD...

Finalement, j'ai appris que ce n'est pas en donnant démesurément que l'on rend un enfant heureux, mais en exigeant une contrepartie essentielle. De plus, par cet échange parent-enfant, nous lui offrons une base solide pour les apprentissages ultérieurs de sa vie d'adulte. En effet, la loi de la compensation est celle du bon sens et elle pourra le seconder dans bien des domaines : santé, éducation, travail, etc.

> *« Veux-tu vivre gaiement ?*
> *Chemine avec deux sacs,*
> *l'un pour donner,*
> *l'autre pour recevoir. »*
> **Goethe**

Comme mère et éducatrice, j'ai dû me rendre attentive à la manifestation des lois naturelles dans mon quotidien. En initiant le jeune enfant à ces mêmes lois, nous le sensibilisons au fait qu'un jour ou l'autre les transgressions comportent des conséquences. Et selon notre préparation, nos réactions face aux « coups du destin » font de nous des êtres frustrés ou avertis. Le menuisier, le couturier, le cuisinier, l'architecte, l'ingénieur, tous diront qu'ils doivent respecter certaines lois de base s'ils escomptent des résultats satisfaisants et durables.

Tenir compte de l'évolution qui s'opère en nous, suite à nos expériences, ne rend pas la vie nécessairement facile, mais digne d'être vécue pleinement. Belle en somme !

CHAPITRE 2

NOS ATTITUDES SONT DES MESSAGÈRES

Lorsqu'un bébé ou un enfant s'éveille la nuit, il faut porter une attention spéciale à l'attitude des parents. Elle détermine, en grande partie, la direction des événements et devient tantôt la source d'un problème, tantôt la solution.

DEUX ATTITUDES : PASSIVE ET ACTIVE

PRÉCAUTION : Avant d'appliquer une intervention, tous doutes concernant la nécessité d'un boire nocturne ou à propos de la santé de l'enfant doivent être considérés et vérifiés auprès d'une personne compétente.

Si nous voulons réduire au plus simple les attitudes parentales face aux réveils nocturnes, nous en observons deux courantes, fondamentales et distinctes. Même si on n'applique pas intégralement ces deux approches, les interventions se classent généralement dans l'une ou l'autre de ces catégories. Exprimées de façon rudimentaire ces deux attitudes sont : « S'occuper du bébé jusqu'à ce qu'il se rendorme » ou « Le laisser pleurer ». Mais voilà, ce n'est pas toujours aussi simple ni toujours aussi radical. Pour illustrer ces deux approches et afin d'englober les différents niveaux d'application qui les concernent, je les ai classées en fonction de **deux attitudes : passive et active. Le sens que je donne à ces deux appellations est toujours relié à la nécessité d'enrayer les réveils.**

Attitude passive :

On retrouve *l'attitude passive* lorsque *le parent subit la situation* sans restreindre le bébé. On ne le laisse pas pleurer, on fait tout pour qu'il se rendorme en paix. On se lève et on donne le biberon au bébé ou on l'allaite, le berce ou le promène, ou encore on simplifie l'intervention en l'installant dans le lit parental.

Explorons les différentes raisons qui incitent des parents à donner sans limite.

À une époque où les déséquilibres affectifs et psychiques abondent, le désir de chérir le nouveau-né et de combler ses besoins est très important. On souhaite généralement apporter le meilleur à ce petit être qui semble si fragile. Dans ce contexte, pour que l'enfant ne manque de rien, on préfère trop donner plutôt que pas assez.

Pour certains parents, il s'agit d'un critère de compétence parentale ; consentir aux réveils nocturnes c'est être un bon parent, un parent à temps plein. L'image qu'ils ont de leur rôle se résume à ces perceptions : « Un vrai parent doit donner jour et nuit, sinon il passe à côté de son rôle » ; « C'est égoïste de vouloir bien dormir lorsqu'on a des enfants » ; « Il faut être sans cœur pour laisser pleurer un bébé » ; et j'en passe.

Parfois, le seul contexte nocturne – noirceur, voisins, etc. – suffit pour acquiescer aux réveils. Pour d'autres parents, les moindres pleurs sont insupportables ; il faut faire vite, peu importe comment et quels que soient les résultats à long terme. Il y a aussi ceux qui agissent en fonction de leur vécu personnel : expériences multiples et influentes (suite à une séparation, à la perte d'un enfant, peu de disponibilité le jour, etc.).

Finalement, le parent passif *s'adapte aux réveils* et qualifie sa solution de *facile,* car il trouve des moyens d'adaptation commodes – allaiter, partager le lit parental, etc. Dans ces cas, voir l'enfant si vite consolé, dans le calme, le porte à ignorer les conséquences de la *répétition des réveils.*

Satisfaire les besoins affectifs du bébé pour un développement sain demeure au cœur des raisons couramment invoquées. On souligne le besoin de rapprochement et ce, à tout moment du jour et de la nuit. Dans la majorité des cas, on ne restreint pas l'enfant par crainte de le traumatiser ; le parent sécurise ainsi le petit et se rassure lui-même.

Cependant, à la longue, tous les sentiments précités peuvent laisser place à d'autres qui s'expriment par les interrogations suivantes : **Entretenons-nous ces réveils ? Encourageons-nous une habitude ?** Certains parents savent qu'ils risquent d'entretenir les réveils en s'y adaptant. Ils sont conscients qu'une attitude passive est peu efficace à long terme, mais qu'elle s'avère, pour différentes raisons, plus facilement applicable à leur réalité actuelle. Toutefois, dans ces cas, on ne perd généralement pas de vue l'éventualité d'éduquer l'enfant au sommeil (attitude active).

Attitude active :

On reconnaît *l'attitude active* lorsque *le parent dirige la situation*, en imposant certaines limites*. APRÈS VÉRIFICATION DE LA SANTÉ ET DE LA SÉCURITÉ DE L'ENFANT, on le laisse pleurer lorsqu'il se réveille, mais ON CONSERVE TOUJOURS UNE ATTITUDE AIDANTE. La méthode progressive, expliquée un peu plus loin, offre cette assistance par un encadrement sécuritaire ; une façon de faire préférable au simple « laisser pleurer ».

Examinons maintenant les raisons qui incitent les parents à *éduquer leur enfant au sommeil* plutôt que de *s'adapter aux réveils*. Les motifs diffèrent selon le temps qu'on a mis à adopter une telle attitude.

Ceux qui le font spontanément et définitivement ne doutent pas de la valeur de leur intervention ni d'eux-mêmes. Ils prennent la situation en mains ; si les sentiments sont au rendez-vous, ils ne dominent pas les parents. Ces derniers savent qu'en compensation de leurs efforts – cette attitude est exigeante – ils retrouveront le sommeil ininterrompu à court ou moyen terme.

Par contre, ceux qui passent d'une attitude « passive » à « active » vivent souvent de l'ambivalence et des doutes. Ils choisissent ce mode d'intervention après une période plus ou moins longue de questionnement, à la suite d'un ou deux bébés. Le changement survient après différentes prises de conscience : fatigue, influence du conjoint, volonté de se raffermir, considé-

---

* Je l'appelle aussi : « la technique des deux ou trois jours » parce que, selon le tempérament de l'enfant, les pleurs cessent généralement après deux ou trois jours. Le premier soir, il pleure plus ou moins longtemps ; le deuxième, il pleure moins que la veille ; le troisième, il pleure peu ou pas du tout.

ration des besoins respectifs, (renouer avec des nuits calmes, protéger le peu d'intimité qu'il reste au couple). Toutefois, dès qu'ils imposent graduellement des limites à l'enfant, les incertitudes de ces parents se transforment en une saine assurance. Ils se sentent de moins en moins à la merci des réveils et de plus en plus des guides confiants et aimants. L'image qu'ils avaient du parent idéal se raffermit.

Les tableaux 2.1 et 2.2 illustrent les attitudes parentales « passive » et « active ».

Tableau 2.1 **DEUX ATTITUDES FONDAMENTALES ET DISTINCTES LORS DES RÉVEILS*(1)**

ATTITUDE PASSIVE	ATTITUDE ACTIVE
Les parents s'adaptent aux réveils de l'enfant...	**Les parents éduquent l'enfant au sommeil...**
parce que ...	**parce que ...**
• Ils craignent de traumatiser l'enfant s'ils agissent autrement.	• Ils en sont simplement convaincus.
• Ils vivent de l'incertitude et de l'insécurité.	• Ils sont fatigués ou veulent éviter de le devenir.
• Ils ne peuvent pas supporter d'entendre des pleurs.	• Ils sont influencés par l'opinion de leur conjoint.
• Le contexte nocturne les influence (noirceur, voisins, etc.).	• Ils considèrent leurs besoins de sommeil et d'intimité.
• C'est un critère de compétence parentale (signe d'un bon parent).	• Ils veulent se raffermir vis-à-vis de leur enfant.
• Différentes raisons personnelles les préoccupent (expériences passées douloureuses, peu de disponibilité le jour, etc.).	• Ils souhaitent enseigner la notion d'équilibre dès le berceau et seconder le petit dans ses premiers apprentissages d'autonomie.

* Au préalable, on veut le bien de l'enfant dans les deux cas et ce bon vouloir est digne de mention. La distinction à faire entre les deux attitudes ne concerne pas *la capacité d'adaptation* – comme on le sous-entend parfois –, mais repose plutôt sur *la perception éducative.*

Quelle que soit la position choisie par les parents, il importe qu'ils connaissent leurs limites et ne les dépassent pas. Souvent, la *routine* des réveils consume sournoisement les ressources nécessaires à un bon fonctionnement journalier. En étant attentif aux signes avertisseurs, on évite de se retrouver « au bout du rouleau » et on préserve l'harmonie du couple et de la famille. Dans l'optique d'un choix éclairé, les divergences d'opinions entre les conjoints peuvent parfois devenir des stimulants constructifs – à la mesure du dialogue du couple.

Tableau 2.2 **DEUX ATTITUDES FONDAMENTALES ET DISTINCTES LORS DES RÉVEILS (2)**

ATTITUDE PASSIVE Les parents subissent la situation	ATTITUDE ACTIVE* Les parents dirigent la situation (V. aussi le tableau : Étapes d'une intervention nocturne efficace)
INTERVENTIONS : • On prend le bébé, on le berce ou le promène, parfois on l'amène dans le lit parental. S'il pleure lorsqu'on le dépose dans son lit, on intervient jusqu'à ce qu'il se rendorme. • L'intervention peut varier de courte à très longue. • On ne laisse pas pleurer le bébé.	INTERVENTIONS : • Après s'être assuré de la sécurité et de l'état du bébé (pas d'otite, de voies respiratoires obstruées, etc.), on évite toutes actions qui pourraient entraîner une habitude et des réveils répétés. Ex. : le bercer, le promener, l'amener dans son lit, lui donner une sucette, etc. Il en est de même pour le biberon ou le sein, **selon l'âge**. • L'intervention est brève, précise et affectueuse. (V. le thème « Une fermeté douce », dans ce chapitre.) • Si nécessaire, on laisse pleurer le bébé (en intervenant de temps en temps – V. le thème « La méthode progressive »).
IMPLICATIONS : • Peut encourager une habitude qui s'installe graduellement. • Peut se prolonger dans des réveils répétés tout au cours de l'enfance. • *L'enfant*, en quelque sorte, *dirige la situation* et détermine quand c'est assez ou non. • À la longue, la fatigue peut s'installer chez les parents. Des frustrations, des insatisfactions ou même de la colère peuvent naître et engendrer divers conflits familiaux.	IMPLICATIONS : • On a d'abord éliminé les causes physiques (en consultant si nécessaire), on conclut pour une habitude ou une situation circonstancielle. • Peut prendre quelques jours ou plus avant d'avoir des résultats. • *Le parent dirige l'enfant* vers de meilleures nuits de sommeil. • Les parents préservent leur santé physique et psychologique et se prédisposent à de « bons matins ».
PRIORITÉS : • Répondre aux besoins affectifs du petit sans restriction d'heure du jour ou de la nuit. • Se rassurer que le bébé ne manque de rien ; on craint de le brusquer si on agit autrement. • On ne se fixe aucun objectif quant au moment où l'enfant fera ses nuits.	PRIORITÉS : • Répondre aux besoins affectifs du petit tout en tenant compte des besoins parentaux. • Apprendre au jeune bébé l'équilibre entre les temps pour donner et recevoir. • On se fixe un certain objectif quant au moment où l'enfant fera ses nuits et on le guide dans ce sens.

* **L'attitude active s'applique bien lors de réveils engendrés par une habitude. Les autres cas – maladies, cauchemars, peurs, etc. – comportent différents aspects à analyser et à considérer afin d'intervenir adéquatement.**

Enfin, pour saisir les avantages et les difficultés qu'implique l'éducation au sommeil, comparons les attitudes « passive » et « active » à la traversée d'un bateau en mer. Imaginons-le voguant au gré du vent, sans direction déterminée (passif). Le jour où le capitaine décide d'utiliser ses connaissances et de guider son équipage vers un but précis (actif), tous les passagers en profitent et en sont rassurés. Toutefois, malgré l'objectif fixé, le pilote n'élimine pas tous les obstacles qu'apportent une mer houleuse et des vents de tempête. La confiance, le calme et le respect de certaines lois deviennent alors des aides précieuses.

Il en est de même pour le parent convaincu et décidé d'encourager son enfant à dormir la nuit : les résultats ne sont pas nécessairement instantanés et sans réaction de ce dernier. Surtout s'il s'agit de lui apprendre une nouvelle habitude et de le départir d'une ancienne. Plus une habitude est ancrée, plus elle risque de demander du temps et de s'étendre sur divers comportements. Dans un tel contexte, un sentiment de culpabilité peut survenir, mais rappelons « qu'il n'est jamais trop tard pour bien faire ». La patience, la persévérance et le calme se font alors d'indispensables alliés.

Avez-vous des points en commun avec ces voyageurs qui parcourent la terre ? L'éducation de nos enfants n'est-elle pas une aventure remplie d'imprévus, de joies, de peines et d'efforts ? Réalisons-nous que nos petits et nos grands sont de véritables cadeaux du ciel ?... Souvent des miroirs utiles à notre évolution ? Les pilotes avertis ont une carte, une boussole, un bon équipement, une équipe de confiance, etc. Différents facteurs font de nous des pilotes plus ou moins avertis et plus ou moins équipés. Si une aide extérieure s'avère parfois indispensable, n'oublions surtout pas de considérer nos ressources intérieures et de veiller à les développer.

Rappelons-nous aussi qu'en faisant le « maximum convenable » pour valoriser et respecter le rythme activité/repos, toute la famille en bénéficie. Maintenir des interventions nocturnes brèves, c'est se prédisposer à mieux commencer la journée suivante.

[Parce que l'enfant] sera plus gai, et parce que vous vous sentirez plus reposé et moins agacé, vous profiterez davantage de lui et serez plus à même d'interagir avec lui de façon positive et éducative[1].

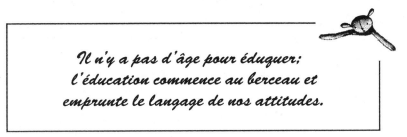

Il n'y a pas d'âge pour éduquer;
l'éducation commence au berceau et
emprunte le langage de nos attitudes.

Concernant l'éducation à l'équilibre et au respect des rythmes, mentionnons pour conclure ce thème que depuis toujours, Dame Nature, au cours de ses différentes saisons, nous apporte des cadences indispensables à notre bien-être : tantôt la stimulation, tantôt la tranquillité ; un temps pour semer, un temps pour récolter.

[Le] rythme est vital pour les êtres vivants quel que soit leur degré d'organisation, car le rythme est la vie même. (...)

On a trouvé des rythmes partout, non seulement chez les plantes et chez les animaux, non seulement dans l'organisme entier mais aussi dans la cellule isolée, dans chaque cellule de chaque organe[2].

N'est-il pas merveilleux de constater que de la plus infime des particules jusque dans les corps les plus complexes, des processus semblables se répètent et révèlent leur importance ? Ces observations n'éveillent-elles pas notre désir de nous insérer à ces rythmes vitaux ? Dans notre recherche vers un meilleur sommeil, les questions philosophiques donnent un sens à nos actions alors que les aspects techniques permettent une meilleure matérialisation de nos aspirations. Voyons, dans le tableau suivant, comment appliquer l'une de ces aspirations : intervenir efficacement la nuit.

Tableau 2.3 ÉTAPES D'UNE INTERVENTION NOCTURNE EFFICACE

? QUESTIONS À SE POSER CONCERNANT...	♥ GESTES À FAIRE À PROPOS...
...la fréquence des réveils : S'agit-il d'un réveil isolé ou de réveils répétitifs – parfois aux mêmes heures ? **...les habitudes au coucher :** Y-a-t-il des associations particulières endormissement/réveil ? (Détails à ce sujet dans : « Raconte-moi comment tu t'endors », chap. 5.) **...les étapes critiques de son développement :** Même si le petit faisait de bonnes nuits à ce jour, est-il possible qu'elles soient perturbées par la venue d'une nouvelle étape ? (Percée dentaire, peur de quitter maman, apprentissage de la marche, de la propreté, etc.) **...notre attitude :** Avant d'intervenir, avons-nous une attitude dégagée et positive ? Se rappeler qu'un réveil n'est pas dramatique (certains sont normaux – chap. 4). **...l'attitude de l'enfant :** Quelle est la réaction du petit lorsqu'on arrive dans sa chambre ou lorsqu'on le touche, qu'on le prend ? Reprend-il aussitôt une mine joyeuse ? A-t-il l'air bien réveillé, tout endormi ou apeuré ? etc.	**...de l'état de santé de l'enfant :** Semble-t-il fiévreux ? Redoute-t-on une otite ou des voies respiratoires obstruées ? Si oui, le bébé peut cesser de pleurer en le prenant dans les bras parce qu'en passant de la position horizontale à la verticale, la pression dans l'oreille diminue et la respiration se fait mieux. Une visite chez le médecin pourra clarifier la situation. **...du confort du bébé :** Vérifier sa sécurité, sa couche, son pyjama, ses couvertures, etc. Il faut toutefois éviter de le stimuler en changeant sa couche à chaque réveil ; se limiter aux boires du nourrisson ou lorsqu'il a les fesses irritées. S'abstenir de ce qui pourrait encourager une habitude : sucette, breuvage, soins prolongés, etc. **...du sentiment de sécurité du petit :** Lorsque tout semble correct, le rassurer le plus brièvement possible par un toucher et un ton réconfortants (V. « Une fermeté douce », un peu plus loin). **...d'un encadrement sécuritaire :** Au besoin, faire appel à la méthode progressive expliquée dans le thème suivant.

N.B. : Une telle démarche prend toute sa valeur si le parent le fait parce que cela provient d'un élan intérieur et non parce qu'il l'a lu ou entendu. S'il agit au nom d'une théorie, il se trahira dans son ton, dans ses gestes et il sera déçu par les résultats. Aussi, le parent doit savoir adapter une intervention selon les circonstances : lorsqu'il couche ailleurs, lorsqu'un enfant est malade, etc. Il en va du don de soi et de l'amour.

De plus, cette approche nocturne s'inscrit dans une démarche globale qui tient compte de la relation parent-enfant au cours des actions diurnes complémentaires, toutes autant déterminantes. (Au cours du lever, de la journée, de la soirée et du coucher.)

LA MÉTHODE PROGRESSIVE*

Choisir d'éduquer un enfant au sommeil entraîne parfois des pleurs qui peuvent ralentir le vouloir parental. La « méthode progressive » offre alors un compromis acceptable : elle n'empêche pas les pleurs, mais elle permet d'appliquer avec plus de douceur une intervention qui peut sembler draconienne. **On peut y recourir dans différentes situations et l'adapter à chaque cas selon ses goûts personnels, le principe de base étant toujours le même : agir graduellement.** Nous verrons toutefois que **ce principe simple exige du discernement** – ce n'est pas applicable à toutes les circonstances – **de la patience et que la conviction est souvent mise à l'épreuve.**

Considérons les pleurs à l'heure du coucher ou lors des réveils nocturnes. On laisse pleurer le bébé pendant une période déterminée (ex : 5 min) ; par la suite, on va vérifier et le rassurer brièvement. On allonge la période d'attente suivante (ex. : 10 min), avant de retourner le voir tout aussi brièvement. On espace ainsi « progressivement » le temps entre chaque visite jusqu'à un maximum déterminé pour la première nuit (ex. : 15 min). Ensuite, on va le voir à la fréquence maximale prévue jusqu'à ce que l'enfant s'endorme. La deuxième nuit, on peut commencer à 10 minutes, si on a commencé à 5 minutes la veille, et augmenter la plus grande attente à 20 minutes ; et ainsi de suite les nuits suivantes.

Les moments entre chaque vérification paraissent souvent interminables. Calculer le temps favorise alors une meilleure objectivité. Aussi, il est souhaitable, même pendant ces instants d'éloignement, de garder une attitude de soutien par ses pensées et son état intérieur.

> *La méthode progressive apprend un nouveau comportement à l'enfant. Elle ne signifie pas une punition. Les façons de parler et d'agir à ces moments-là sont donc très importants.*

---

* Méthode empruntée au docteur Richard Ferber dans : *Protégez le sommeil de votre enfant* (éd. ESF, 1990).

Les traumatismes tant craints par les parents germent dans des conditions précises où l'enfant est rejeté et ne se sent pas aimé. Au contraire, lorsque la méthode progressive est portée par des sentiments de confiance et de mieux-être, elle rassure l'enfant dans cette étape difficile. Elle n'empêche pas les frustrations acceptables causées par un « non », mais elle n'est pas synonyme de traumatisme.

> Autoriser quelques pleurs pendant que vous apprenez à l'enfant à améliorer son sommeil ne lui causera jamais de tort psychologiquement. **C'est plus dur pour vous que pour votre bébé.** Même les parents les plus inquiets avec lesquels j'ai travaillé m'ont dit ensuite qu'ils avaient trouvé ce procédé d'apprentissage très utile et pas du tout nocif pour l'enfant. Vous souhaitez faire de votre mieux pour votre enfant, et l'**aider à développer une bonne organisation du sommeil en fait partie**[3].

La durée des attentes peut varier selon les parents. Certains préfèrent agir à petits intervalles, d'autres attendre plus longtemps entre chaque intervention. On peut aussi procéder par de simples consignes verbales à partir de notre lit (entre autres, au début et à la fin de la démarche). À distance, on manifeste la proximité parentale au petit, tout en l'invitant à dormir. Mais quelles que soient les variations adoptées, **l'important est d'y aller progressivement et de persévérer jusqu'au bout**, c'est-à-dire de laisser l'enfant s'endormir par lui-même*.

Lors des brèves interventions, toutes formes de stimulation sont à éviter. Des paroles fermes et sécurisantes rappellent au petit la nécessité de dormir (V. le thème « Une fermeté douce »). Dans le feu de l'action, selon l'intensité de chaque enfant, le bon vouloir risque toutefois d'être ébranlé**.

Comme les nuits peuvent s'avérer difficiles, on doit se préparer à ce genre d'intervention. D'abord, en parlant de nos intentions à l'enfant concerné et ce, si petit soit-il. (On verra plus loin la valeur de ses *antennes invisibles* !) Ensuite, en avertissant les frères et sœurs – le voisin de palier s'il le faut ! – de la

---

*   Lui apprendre à se rendormir seul est un élément déterminant, il en sera question au cours du chapitre 5.

**   Certains bébés peuvent en vomir. On change alors simplement l'enfant et on le laisse à nouveau. La concision évite que le vomissement devienne une façon d'obtenir plus d'attention parentale. (V. le témoignage : « On ne fait pas d'omelette sans casser des œufs », chap. 3.)

nouvelle démarche et de l'aspect passager de cette situation, on évite des tensions supplémentaires*. Par contre, la discrétion vis-à-vis certaines personnes évite les opinions controversées et les tiraillements qui en découlent. Finalement, quel que soit l'objectif souhaité, il faudra un certain temps avant d'y arriver et pour ce faire, le soutien du conjoint ou d'une personne aidante devient nécessaire. (Se partager les « tours de garde » !)

Indépendamment de cette méthode, certaines personnes préfèrent ne pas aller voir l'enfant. Dans ces cas-là, il ne faut JAMAIS NÉGLIGER SA SÉCURITÉ en allant vérifier au moins une fois ou quelques fois. On peut aussi se demander la raison d'un tel comportement.

UNE FERMETÉ DOUCE

Voilà une attitude particulièrement utile lorsqu'on applique la méthode progressive, suggérée précédemment. Pour parvenir à une fermeté douce et éviter une rigidité malsaine, il importe de bien en saisir le sens. *La fermeté n'est pas synonyme de brutalité, elle se communique plutôt par une attitude intérieure et extérieure décidées* ; oui c'est oui, non c'est non. De son côté, la douceur apporte une dimension de chaleur à l'attitude imposante. La métaphore « une main de fer dans un gant de velours » traduit bien la fermeté douce.

> *La fermeté et la douceur réunies sécurisent le bébé ou l'enfant, car elles impliquent l'assurance, la détermination, la constance et le cœur.*

L'enfant est particulièrement sensible à notre façon de communiquer avec lui. Ce fait est d'autant plus important lors des réveils nocturnes. L'attitude parentale *parle* au bébé, elle prend le ton du sentiment profond qui anime le parent, qu'il s'agisse

---

* Lorsque deux enfants partagent la même chambre, on peut avoir à considérer d'autres changements temporaires. Faire coucher celui qui est dérangé par les pleurs dans une autre pièce ou le faire garder durant la période la plus intense en sont des exemples.

d'ambivalence, de fermeté, d'anxiété, d'assurance, d'insécurité, etc. Une attitude – consciente ou inconsciente, spontanée ou raisonnée – produit un effet certain sur le bébé. On lui donne avec ce que l'on est, non avec ce que l'on voudrait paraître. « N'oubliez jamais que le bébé perçoit instantanément votre humeur profonde, réelle, qui est parfois différente de celle que vous affichez, et que c'est à celle-là qu'il réagit[4] ».

> *Quel que soit l'âge d'un bébé, il nous ressent beaucoup plus qu'on ne veut souvent l'admettre.*

Il ne s'agit pas ici de ses capacités intellectuelles, mais plutôt de la vie intérieure qui l'anime, de ses petites *antennes invisibles* qui captent son entourage. D'ailleurs,

[pour] le nouveau-né, à l'évidence, les perceptions sont encore limitées ou plutôt *différentes* : c'est vrai, il ne comprend pas le contenu précis du langage de sa mère, n'interprète pas ce qu'il voit ; mais il est très sensible à la tonalité de sa voix, à la fébrilité de ses gestes, à son attitude contractée ou détendue. Et toutes ces caractéristiques qui échappent au contrôle de cette maman sont des témoins fidèles de son état inconscient, en quelque sorte de son humeur, sur lesquels notre bébé se trouve branché pratiquement en prise directe[5].

D'une part, demeurer en contact avec notre réalité intérieure est un défi de taille, car cette attitude demande d'être continuellement aux aguets et implique un travail constant sur soi. À cet effet, si vous devenez plus sensibles à vos interventions, vous verrez sûrement vos imperfections : j'en sais quelque chose... Il m'arrive d'être maladroite et impatiente. Mais quel bonheur lorsque le tact et la douceur refont surface !

D'autre part, reconnaître le pouvoir de réceptivité du nouveau-né vis-à-vis ses parents, c'est faire confiance au potentiel humain dès la naissance. C'est « donner du poids[6] » au bébé, selon l'expression de Tony Lainé, spécialiste français de l'enfance. Plus les parents croient aux aptitudes réceptives de leur enfant, plus ils communiquent avec finesse et en profondeur avec lui.

Selon le genre de relation établie avec le petit et envers soi-même, la communication parent-enfant prend donc différentes formes, couleurs et tonalités. En demeurant attentif à ce que nous sommes, mais aussi à nos mots et à la façon de les utiliser, nous détenons une clef précieuse car notre état d'être se révèle :

> Nous parlons trop fort si nous sommes en colère, trop vite si nous sommes énervés, d'une voix basse et étranglée si nous avons peur... mais, au contraire, d'une voix enjouée lorsque nous sommes heureux[7].

Par ailleurs, la fermeté douce n'exclut pas la possibilité d'élever la voix dans certaines situations. La nature de ce ton révèle alors si la personne se maîtrise ou si elle est dépassée par l'événement. Ce qui anime l'adulte est déterminant : est-ce un vouloir sincère de guider, d'éduquer ou l'impatience de régler une situation au plus vite ? *Il y a là toute une différence dans la façon d'agir et dans les résultats obtenus !*

Enfin, si la fermeté douce se transmet par la voix et les mots, les mains parlent elles aussi : elles peuvent donner beaucoup. Par notre façon de toucher un enfant – masser, tapoter, effleurer – nous entrons en contact direct et lui communiquons notre humeur, notre état intérieur. Si nous imprégnons nos mains d'amour et de sécurité, il est certain que cette chaleur humaine passera. On peut aussi laisser les mains planer au-dessus du corps avant de les enlever complètement. Sans en faire un cérémonial long et compliqué – surtout la nuit – il s'agit de se sensibiliser à nos gestes et, en peu de temps, ils gagneront en efficacité.

*« Nous sommes liés
de plus près à l'invisible
qu'au visible ».*
Novalis

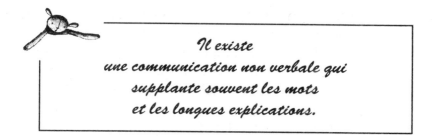

*Il existe
une communication non verbale qui
supplante souvent les mots
et les longues explications.*

Pour certaines personnes, les belles théories dont il vient d'être question peuvent paraître difficiles à mettre en pratique. Généralement *elles le sont*, mais il n'est pas impossible d'y arriver. On peut essayer et réussir ; on peut faillir et recommencer*. L'important est de faire le premier pas pour découvrir les formes de communication qui nous rapprochent et nous élèvent. Lorsqu'on y a goûté, on souhaite les entretenir quotidiennement et ce, avec les efforts nécessaires et malgré les rechutes. Tout en apprenant de nos erreurs, travaillons à faire de belles œuvres communicatives ; elles feront ainsi partie de l'héritage parental.

Lorsque j'ai dû m'affirmer dans mes interventions nocturnes, je n'avais pas toutes les techniques et les approches communiquées dans ce livre ; certaines ont été plus difficiles que d'autres à appliquer. J'ai appris continuellement au fil de ce projet...

*Pour certains,
la fermeté doit s'envelopper de douceur,
pour d'autres,
la douceur doit s'imprégner de fermeté.*

À ce stade-ci, mentionnons que les prochains thèmes de ce chapitre toucheront particulièrement la dimension affective des attitudes parentales. Dans ces cas, les cordes sensibles de l'éducation résonneront...

---

*   On peut toujours demander l'aide d'une personne-ressource lors de périodes plus critiques. Avant de pouvoir appliquer la fermeté douce, il faut parfois exprimer une peine, une frustration, une colère ; bref, trouver son équilibre.

Malgré la meilleure volonté de réaliser des interventions nocturnes efficaces, nous agissons à partir de ce que nous sommes : notre vécu et nos émotions jouent un rôle déterminant. Certaines questions affectives viennent alors chambarder nos objectifs et peuvent nous empêcher de les actualiser.

LES PLEURS

Souvent, une question délicate naît dans la conscience du parent : **Doit-on laisser pleurer un bébé ?** Répondre aux appels de son enfant est un élan spontané et naturel ; il faut surtout convenir de la manière et du moment de le faire. Laisser pleurer *inutilement* un bébé et en faire une *attitude générale* risque d'encourager une mauvaise image de lui-même qu'il traînera sa vie durant, se sentant carrément rejeté et ignoré dans son aptitude à s'exprimer. D'ailleurs,

> à la fin de leur première année, les bébés qui trouvent rapidement auprès de leur mère tendresse et réconfort quand ils se mettent à pleurer, pleurent moins souvent. Plus la mère ignore, réprimande, frappe son bébé [!!], plus elle l'accable d'ordres et d'interdictions, plus le bébé pleure, s'agite et devient agressif (Clarke-Stewart, 1977)[8].

Il y a toutefois des situations où il n'est pas dramatique de laisser pleurer un enfant. Prenons l'exemple du bébé qui se met à pleurer lorsqu'on le dépose dans son lit malgré les soins et l'affection reçus... et qui finalement s'endort. Il y a plusieurs situations semblables où ce n'est pas grave, où le parent peut reconnaître le *seuil de frustration acceptable* pour son enfant. Pour y parvenir, il doit cependant l'avoir laissé pleurer une première fois !

On peut laisser pleurer un bébé sans mauvaise conséquence si on choisit le bon moment et qu'on n'en fait pas une intervention habituelle.

Examinons les types de pleurs. On dit que

> [dès] les premiers jours et les toutes premières semaines de la vie, le bébé dispose d'un registre d'au moins cinq ou six cris différenciés : faim, recherche de sommeil, douleur, gêne, demande de compagnie, et pleurs de la soirée (...) qui peuvent être calmés ou non (...). Il faut indiscutablement répondre de façon rapide et adaptée à certains et laisser jouer à d'autres leur rôle de « soupape d'échappement »[9].

La notion de « soupape d'échappement » n'est pas née d'hier. Ce sens était sous-entendu lorsqu'on disait : « C'est bon pour ses poumons » ou « Il ne pleure pas, il chante ». Ces termes utilisés surtout autrefois ne l'étaient pas à tort, même si on ne pouvait toujours savoir le pourquoi. Au fond, on reconnaissait que les pleurs pouvaient parfois simplement soulager le bébé.

De nos jours, on explique davantage ces observations. Madame Aletha J. Solter rapporte, qu'en effet, *certains* pleurs sont libérateurs, nécessaires à l'équilibre de l'individu et qu'on doit même les encourager*.

> [Les] larmes libèrent du stress en entraînant avec elles certains produits biochimiques qui lui seraient liés. [On] a comparé les pleurs d'émotion aux pleurs causés par une irritation (quand on coupe un oignon par exemple) et [on] a trouvé des différences chimiques (Frey 1981)[10].

Notre éducation nous ayant généralement appris à maîtriser les situations où l'enfant pleure, nous sommes davantage portés à trouver une solution qui le fera taire plutôt que de le laisser se libérer à satiété**. Pourtant, en nous familiarisant avec le sens « libérateur » de certains pleurs, on apprend qu'ils délivrent le bébé d'expériences traumatisantes passées. D'ailleurs, dès la naissance, le bébé vit des frustrations dont il doit un jour ou l'autre se dégager.

---

*   Attention de ne pas confondre son approche qui diffère de la mienne. Pour que les pleurs soient efficaces, elle suggère de ne jamais laisser le bébé seul lorsqu'il pleure. De mon côté, je propose de le faire dans un encadrement aimant et sécuritaire, sans être constamment à côté du petit.

** Pensons ici à l'impact de l'utilisation *à outrance* de la sucette. On apprend davantage au bébé à se taire plutôt qu'à s'exprimer.

Les souffrances qui créent un besoin de pleurer chez l'enfant sont : un traumatisme de la naissance, des besoins passés non satisfaits, une surcharge d'informations, la frustration, la douleur physique et d'autres souffrances infligées par les personnes qui s'occupent de lui[11].

J'ai vérifié ces faits en parlant avec des personnes de mon entourage. L'une d'elle m'a dit : « Pendant environ un mois après sa naissance, notre fille pleurait à peu près une heure tous les soirs. Elle était inconsolable. Certains qu'il ne s'agissait pas de coliques, nous avons déduit qu'elle avait besoin de pleurer à ce moment-là, puisqu'en d'autres temps elle était toujours souriante. Nous ne nous sommes pas inquiétés outre mesure de ces pleurs qui ont cessé graduellement d'eux-mêmes. » J'ai constaté, une fois de plus, que les parents attentifs peuvent ressentir et bien interpréter une situation sans qu'ils en connaissent toujours les raisons. Une autre personne m'a parlé de sa sœur née prématurément : « Elle a pleuré énormément ; c'est le bébé qui a le plus pleuré dans notre famille ». Cela n'a rien d'étonnant lorsque les premiers moments après la naissance ont été vécus près des appareils, sous diverses lumières, dans la routine de multiples examens, etc. Voilà un exemple éloquent de « surcharge d'informations » (une des souffrances citées auparavant et engendrant un besoin de pleurer). Mentionnons un autre cas familier : le nouveau-né quittant l'environnement calme du foyer pour visiter la famille ou tout lieu public. Souvent, le bébé s'agite et pleure davantage qu'à l'accoutumée, sinon il le fait au retour à la maison. Le bébé, ayant été surchargé d'informations nouvelles, se libère de son surplus d'émotions par les pleurs. « [Plus] l'enfant est jeune, plus il est facilement surstimulé[12] ». Par contre, en vieillissant (autour de trois mois), il aime de plus en plus qu'on le stimule et qu'on s'occupe de lui.

Tous ces exemples démontrent que dans certaines situations les liens de cause à effet se font assez facilement, alors que dans d'autres, il est plus difficile de savoir de quelle douleur le bébé se libère. Mais dans tous ces cas, il est au moins rassurant de connaître l'effet « libérateur » de certains pleurs même s'il n'est ni agréable ni facile pour personne d'entendre pleurer un bébé.

De plus, si on se réfère à son propre sentiment de légèreté ressenti suite à une séance de pleurs, il est plus facile d'apporter une présence compréhensive et réconfortante lors des brèves interventions nocturnes. (Il ne s'agit pas ici des pleurs causés par la maladie qui impliquent différents éléments à considérer.)

À l'opposé, lorsqu'en pensant bien faire, on empêche continuellement le bébé de se libérer par les pleurs, on risque d'engendrer des « automatismes de contrôle ». Cette expression est définie ainsi : « comportement qu'on utilise pour réprimer ses propres décharges émotionnelles. (...) [une] activité qui arrête efficacement la décharge émotionnelle[13] ». C'est le cas du bébé peiné ou frustré qui, dans de tels moments, est réconforté par le biberon, le sein, la sucette, les balancements, etc. Ces interventions deviennent alors des « automatismes de contrôle » parce que même s'ils stoppent les pleurs, ils répondent de façon inadéquate au besoin de l'enfant de se libérer de ses émotions.

Une fois qu'un « automatisme de contrôle » a été identifié et qu'on décide de le faire cesser, on fait généralement face à des séances de pleurs. On peut alors penser qu'il est néfaste de retirer à l'enfant sa sucette, son biberon ou toute autre habitude.

> Le tort *réel* a été fait chaque fois qu'on l'a empêché de pleurer alors qu'il en avait besoin. Les avantages qu'il y a à supprimer des automatismes de contrôle peuvent ne devenir apparents que lorsqu'on voit combien change le comportement de l'enfant après une bonne séance de pleurs. L'amélioration de son humeur sera parfois spectaculaire et, s'il a suffisamment pleuré, il ne montrera plus aucun intérêt pour ce qu'il demandait frénétiquement quelques minutes auparavant, même si cela lui est offert ![14]

Reconnaître et répondre adéquatement aux pleurs exigent de la perspicacité et un certain équilibre affectif. La confiance en soi et l'expérience aident à y parvenir. **Compte tenu de la diversité des pleurs, il ne faut pas les considérer à la légère et surtout demander de l'aide lorsque c'est nécessaire** ; se faire aider pour mieux aider.

Enfin, pour différentes raisons (anxiété, expériences difficiles dont on craint la répétition, réveil de souvenirs douloureux de sa propre enfance, etc.), *les pleurs ont un pouvoir qui désarme certaines personnes. Ces parents perdent tous leurs moyens face aux pleurs.* Ils répondent avec excès et nervosité, tandis que d'autres peuvent agir avec calme et assurance. Prenons l'exemple du grand-parent réconfortant un petit inconsolable par ses parents. Les pleurs n'effraient guère cet aïeul ; il en a entendu d'autres... Une fois de plus, il y a lieu de s'interroger sur notre attitude et sur ce qui la motive.

Parallèlement aux pleurs, n'oublions jamais d'encourager et de répondre à toutes les autres formes de communication du petit : les sons, le rire, le chant, le regard, le toucher, etc.

LE LIT PARENTAL ET LE LIT FAMILIAL

Il y a l'enfant qui ne partage jamais le lit parental, celui qui s'y retrouve de façon occasionnelle, et le bambin qui le fait quotidiennement puisque le lit parental a été transformé en un lit familial. Voyons ces différents choix et les questionnements qui en découlent.

L'humanisation des naissances incite les parents à s'approprier des droits qu'ils avaient perdus : vivre intensément les premiers contacts, par exemple. Pour différentes raisons, plusieurs préfèrent garder leur nouveau-né auprès d'eux durant une certaine période après l'accouchement. D'autres aiment accueillir le bébé au réveil matinal. Autant de situations où l'accès au lit parental n'est pas interdit, mais comporte des temps prédéterminés.

Lorsqu'on envisage de prolonger les moments de proximité postnatale, il est à propos de se demander *à qui cette situation sera utile* : au couple, au parent ou à l'enfant ? S'agit-il de choisir une solution facile, de combler la solitude causée par une séparation ou de fuir l'intimité du couple ? Dans les deux dernières situations, l'adulte camoufle une réalité et l'enfant peut – inconsciemment – ressentir la responsabilité de remplacer le conjoint ou de causer une séparation ; cette position risque de devenir angoissante et conflictuelle pour l'enfant. De plus, si la situation change, il se sentira chassé de *son* territoire. On peut aussi se demander si on craint de laisser le bébé seul ? Si c'est le cas, de telles réflexions peuvent surgir : « Un bébé est si petit », « Il a besoin de notre chaleur », « Cela le sécurise », « D'autres civilisations le font », etc. Il importe alors de se questionner sur le sens profond de la sécurité et de l'intimité.

Lorsqu'on permet au bébé d'avoir son lieu de sommeil – sa chambre, son lit ou son berceau – on lui donne l'occasion de se retrouver seul avec lui-même et de renforcer son champ d'intimité : cette solitude qu'il se doit d'apprivoiser, un jour ou l'autre. Exprimé de façon imagée, cela signifie qu'il apprend à se former une *bulle*, laquelle est protégée par l'amour des parents qui le bordent. Ainsi, la sécurité de l'enfant n'est pas perçue comme la nécessité d'un contact physique continuel, mais repose sur la communication non verbale établie avec l'enfant, sur le lien de confiance existant. Quant au besoin de contact physique du bébé, il est comblé au cours de la journée lorsqu'on le prend, le masse, le berce et en utilisant – selon les occasions – le « sac porte-bébé » plutôt que la poussette, de même qu'en évitant les gadgets qui isolent l'enfant : « marchette », parc, etc.

Par ailleurs, les intervenants de l'enfance sont de plus en plus nombreux à dire que la frustration est bonne et nécessaire au développement de l'enfant ; jusqu'à un certain point, entendons-nous. Éviter toutes formes de frustration devient une entrave à son autonomie, car dès son jeune âge, il doit apprendre à surmonter certaines situations. Les moments de solitude sont parmi ces premiers apprentissages.

En partageant un lit familial, on ne délimite pas de territoire intime pour les parents et pour l'enfant. Cette démarcation des terrains demeure *un choix de couple*. Il est sain de définir des limites respectives ; sinon on risque, un jour ou l'autre, d'envahir ou d'être envahi... (Les enfants, entre eux, testent spontanément leurs limites réciproques.) Dans cet optique, lorsque l'enfant grandit, on lui apprend à frapper avant d'entrer dans notre chambre et on fait de même pour la sienne.

Si le lit familial présente une image alléchante pour les parents désireux de donner le meilleur, il ne faut pas penser qu'il est nécessaire ; même que cela n'est pas toujours souhaitable, tant pour l'enfant que pour le couple. D'ailleurs, le sommeil du bébé n'est pas le même que celui de l'adulte et la proximité peut nuire. (Nous le verrons au cours du chapitre 4 dans : « Les réveils normaux ».) Un jour, une mère m'a raconté que les réveils de son bébé ont cessé lorsqu'elle a décidé, entre autres, de ne plus le faire dormir dans sa chambre : il avait son lit à côté du leur. Elle a dit : « Je me sentais très en affinité avec cet enfant. Je pense que le fait de l'éloigner de moi durant son sommeil lui a permis de se détacher et de se former en dehors de moi. »

Les parents modernes ne disposent pas toujours de beaucoup de temps à partager avec leurs enfants. Ce fait peut éveiller un sentiment de culpabilité que les adultes peuvent chercher à compenser par des rapprochements nocturnes. À chacun d'y voir et d'y trouver son équilibre.

> *Quel que soit le lieu de sommeil choisi, une situation claire dès le début évitera des déchirements. Pour faciliter ce choix, on peut essayer de prévoir jusqu'où il nous conduira.*

Bien sûr, il pourra survenir des occasions exceptionnelles où cette décision ne sera pas respectée, mais une position franche dès le départ facilitera la suite.

LORSQUE L'ALLAITEMENT ENTRE EN JEU...

PRÉCAUTION : Mon but n'étant pas de traiter des détails techniques ou fonctionnels de l'allaitement, **je vous invite à consulter** des spécialistes de la santé, des organismes et des livres qui vous informeront sur les aspects importants à surveiller lors de l'allaitement. Cette démarche assurera le développement sain de votre petit trésor et protégera votre santé. En variant vos sources d'informations et en vous laissant guider par votre intuition, vous saurez, au-delà des différentes approches préconisées, trouver « le juste milieu » qui vous convient, car **chaque cas est unique et il n'y a surtout pas de recette à suivre**.

J'ai cru, en allaitant notre fils, qu'il était impossible pour le bébé nourri au sein et pour ses parents de dormir durant plusieurs heures consécutives. Ce qui m'apparaissait comme une réponse nocturne logique au bien-être et à la santé de mon nouveau-né s'est tranquillement transformé en une attitude générale face à mon petit qui grandissait (V. chap. 1).

Avec le recul des années, j'ai pondéré et élargi mes perceptions quant à l'allaitement. Entre autres, qu'il est habituellement nécessaire de donner des boires nocturnes les trois premiers mois, mais qu'au-delà de six mois, il y a lieu de s'interroger et de s'informer auprès de gens compétents avant de conclure à un besoin réel – selon que le bébé mange ou non, etc. Il en est de même concernant l'établissement d'un horaire. Parce qu'il semble plus délicat de parler d'horaire au cours des trois premiers mois – instauration de la production lactée et santé du petit – on parlera davantage d'un « horaire souple » lors de cette période d'adaptation. L'étape de trois à six mois apparaît cependant propice à l'intégration graduelle d'un horaire pour certains petits, favorisant ainsi leur sommeil. Enfin, quel que soit l'âge, l'important est d'agir avec vigilance et de consulter au besoin.

Aujourd'hui, en partageant ma vision de l'allaitement maternel – encadrante et restrictive au regard de certaines personnes – mon but est de promouvoir l'allaitement, mais un allaitement auquel on aura soustrait la notion de servitude qui y est parfois attachée. Je préconise aussi la pondération dans les attitudes maternelles, **sans jamais pour autant négliger la santé et le bien-être du bébé**.

Regardons maintenant les principaux points sur lesquels mon vécu m'a amenée à m'interroger afin de présenter le rapport étroit entre l'allaitement et la qualité du sommeil.

Même si allaiter fait partie des processus naturels humains, des inquiétudes peuvent surgir ; *ces difficultés s'ajoutent aux problèmes de sommeil ou parfois même, les causent*. La femme qui allaite – surtout lors de sa première expérience – se questionne sur des sujets qui ne concernent pas celle qui donne le biberon.

Elle doit apprivoiser les fonctions de l'allaitement en plus de son rôle de mère ; *ses qualités de nourrice sont en jeu*. Par exemple, même si plusieurs petits, *qu'ils soient au sein ou au biberon*, continuent de se réveiller en vieillissant, combien de mères pensent que c'est parce que leur lait est moins nourrissant qu'une formule préparée ? L'allaitement devient la cible, la qualité du lait peut être remise en question et finalement, pourquoi pas, la qualité de la mère ! Cette expérience qui avait éveillé l'enthousiasme et s'avérait une belle complicité avec la nature se termine alors dans les doutes et parfois même dans l'épuisement.

Une des premières questions qui surgit chez la mère (ou dans son entourage...) se rapporte donc souvent à la qualité du lait maternel. L'analyse de ce dernier n'étant pas facilement accessible, contrairement aux formules lactées, il est courant de se demander : quel est l'impact de l'alimentation et du rythme de vie sur le lait maternel ? Fondées ou non, ces interrogations peuvent conduire à l'adoption de boires rapprochés tout au long de l'enfance parce qu'en doutant de la qualité du lait, on craint de ne pas combler entièrement le petit.

Une autre interrogation qui influence parfois la manière d'allaiter est : « De toute façon, un bébé prend le sein parce qu'il a faim, n'est-ce pas ? » Pas nécessairement. D'une part,

> [au] cours des premiers mois, l'action de téter est contrôlée par des réflexes nerveux automatiques. Le réflexe labial (l'enfant se tourne vers l'objet qui lui touche la joue) et le réflexe de succion sont aussi automatiques et involontaires que le fait d'envoyer la jambe en avant après avoir reçu un choc sur le genou. Le petit nourrisson ne « choisit » pas consciemment de se mettre à téter, tout comme un adulte ne « choisit » pas d'étendre la jambe quand on teste ses réflexes. Il ne rime à rien de proposer le sein au nourrisson pour le laisser « décider » de téter ou pas, car il n'a pas le choix : il agit selon la programmation génétique de ses circuits nerveux. Si les nourrissons n'avaient pas ces réflexes puissants, l'espèce humaine ne* [sic] serait éteinte depuis longtemps. La nature ne prend aucun risque quand il s'agit d'une question aussi sérieuse que la survie ![15]

---

* L'auteure a sans doute voulu écrire se.

D'autre part, si on préconise « l'allaitement à la demande »*
jour et nuit, quel tableau offre-t-on ainsi à la mère inexpéri-
mentée ! Se voyant rapidement dépendante des humeurs de
l'enfant, elle préfère alors le sevrer au plus tôt. De plus, on l'a
vu dans ce chapitre, si à la moindre frustation le bébé qui pleure
est mis au sein, il finit par développer des « automatismes de
contrôle » et l'allaitement devient tantôt un moyen de réconfort, tantôt une source de nourriture. (Ce bébé risque, en gran-
dissant, de compenser ses déceptions par de la nourriture.)

Avec le temps, j'ai donc appris que les mots *horaire* et *allaitement* étaient compatibles. Les expériences de plusieurs mères
nourricières m'ont démontré que l'allaitement peut se faire à
intervalles réguliers et modérés. Il ne s'agit pas de régler les
bébés comme des horloges, mais plutôt de s'assurer d'un minimum de temps raisonnable entre les boires (aux 3-4 heures) –
selon l'âge évidemment.

> [Même si un] nourrisson bien portant, né à terme, (...) a l'air
> affamé et boit quand vous lui offrez le sein ou le biberon, des
> repas toutes les heures sont épuisants pour la mère, douloureux
> si elle nourrit au sein, inutiles pour le bébé et l'empêchent de
> développer un rythme de repas normaux et de bonne qualité[16].

La régularité permet à la mère de ressortir gagnante. N'étant
plus « à la merci » d'horaires instables, elle peut se donner pleinement dans ce rôle sans négliger les autres dimensions de sa
vie. En plus, le rythme des repas favorise le sommeil des petits.
(On le verra dans le thème « Un horaire régulier ça aide... » –
chap. 5.)

Mais si un bébé a été nourri fréquemment depuis sa naissance et qu'il « n'a jamais appris à se sentir bien sans le sein ou
le biberon immédiatement disponibles, vous aurez du mal à
éliminer les repas supplémentaires de la nuit[17] ». Une façon
d'allonger la période entre les boires est de commencer avec
ceux du jour et de procéder graduellement. Après avoir rétabli
un rythme diurne plus stable, on favorisera de la même manière

---

* Ici, l'expression « allaitement à la demande » fait référence à donner le sein dès
le moindre pleur, qu'il s'agisse du besoin réel de la faim ou non. Elle ne concerne pas le temps de succion accordé au bébé lors du boire.

la cadence nocturne. Lors des brèves interventions, même si le bébé continue de pleurer, rappelons l'importance d'une attitude réconfortante. Par exemple : « Pleure, je sais qu'il t'est difficile d'apprendre à te rendormir sans le sein, mais tu y arriveras. C'est bon pour toi, pour moi et pour notre sommeil. » Évidemment le petit *ne comprend pas* le bien fondé d'un tel changement, *mais ressent* la conviction aimante du parent.

Finalement, le degré de confiance qu'a la mère en sa qualité de nourrice participe certainement à un allaitement réussi ou manqué. Son attitude constitue la base de son expérience, car

> plus la femme se sentira femme (...) plus elle aura confiance dans ses capacités d'allaiter son bébé, plus elle aura la certitude qu'elle fait bien, plus elle recevra un soutien affectueux et encourageant de ses proches, (...) mieux elle allaitera car son réflexe de sécrétion* sera puissant et permettra le don d'un lait riche en gras et en protéines à un bébé qui sera vite satisfait.

> Cependant, si la mère, par exemple, doute de son choix (...) son réflexe sera automatiquement affaibli. Il en résultera rapidement un enfant mécontent et affamé. Évidemment d'une tétée à l'autre, le problème n'ira qu'en s'amplifiant[19].

Une fois de plus on croise cette réalité : nos attitudes sont des messagères !

L'AMOUR !

L'amour, au cœur de la dimension affective, concluera ce chapitre et fera vibrer une autre corde sensible de l'éducation.

> *L'amour n'enlève pas les obstacles sur la route des enfants, il les encourage chaleureusement à les surmonter.*

---

*   « le réflexe de sécrétion [...] permet à la femme non tant la fabrication, mais le don de son lait à son bébé[18] ».

Si tous les parents semblent, en général, animés par l'amour, qu'en est-il vraiment ? Peut-on trop aimer ou mal aimer ? On peut agir pour *plaire* ou pour se rendre *utile*. L'amour véritable élève les êtres à un niveau bien au-delà de la sentimentalité et de la mollesse ; les enfants se sentent aimés dans la juste sévérité.

Un jour, notre fils Pascal revient à la maison avec un petit chat. Il me dit qu'il l'aime et veut l'adopter – en plus de notre chatte. Je lui explique pourquoi on ne peut le garder avec nous. Malgré sa peine, je lui mentionne que s'il aime réellement cet animal, il ne s'obstinera pas à penser que la seule solution est de le garder près de lui, mais il lui souhaitera de trouver un foyer ou lui en cherchera un.

> Le pur amour est désintéressé. Il ne recherche toujours que le bien d'autrui. Il peut parfois être sévère, mais il reste fidèle et vrai. (...) Dans le cadre de l'éducation, par exemple, les jeunes doivent savoir qu'on ne cédera pas, qu'on ne laissera rien passer, mais ils doivent aussi sentir qu'on les aime, qu'on est prêt à les aider et qu'on veut leur bien avant tout. Il ne faut jamais perdre de vue que, si l'amour doit être empreint de sévérité, cette sévérité ne doit en aucun cas être dépourvue d'amour[20].

La perception que nous avons de l'autorité et de la discipline influence certainement notre façon d'éduquer nos enfants et ce, dès le très jeune âge. Ces notions ne font pas toujours bonne figure ; peut-être est-ce davantage leurs déformations qui rebutent et non les principes par eux-mêmes ? Lorsqu'on n'ose pas contrarier un enfant, on peut imaginer ce que cela donne en vieillissant...

> L'enfant doit pouvoir s'appuyer sur les adultes et trouver en eux des exemples qui lui donnent envie de les imiter, de devenir comme eux. Comme un jeune arbre qu'on vient de planter, il a besoin d'un « tuteur », mais on ne peut s'appuyer que sur ce qui résiste. Devant la vague de contestation et d'anti-autoritarisme qui a déferlé (...) sur le monde, de nombreux parents et éducateurs n'ont pas résisté. Sous l'impact du slogan : « il est interdit d'interdire », ils ont démissionné, souvent même en devenant les « copains » des jeunes, cherchant là un succédané à l'autorité perdue. Toutefois, en démissionnant de leur poste de confiance,

ils ont rendu mauvais service à ceux qui, pour une évolution saine, avaient besoin de pouvoir les admirer et les respecter, simplement parce qu'ils étaient respectables[21].

Pour parvenir à une autorité et à une discipline bien dosées, l'adulte doit avoir une certaine solidité et équilibre intérieurs, « se tenir debout » comme le fait le tuteur pour la plante. Mais se tenir debout, c'est aussi avoir la franchise de reconnaître ses erreurs et la volonté de faire de son mieux.

Finalement, d'après la perception plus ou moins restrictive que le parent se fait des différentes dimensions de l'être humain, ses rapports avec le conjoint, l'enfant et la vie prennent des couleurs et une intensité différentes. Par exemple, il voit en l'enfant l'extension de ses désirs inassouvis ou, au contraire, un être distinct que la vie appelle. En considérant l'enfant comme un esprit humain à part entière, avec des caractéristiques physiques semblables aux siennes, mais un esprit unique à lui, le parent est davantage en mesure de s'ajuster et d'adopter une attitude *utile* envers l'enfant*. De cette façon, il sera moins possessif de ce que la vie lui apporte, il ouvrira ses bras protecteurs pendant un certain temps, pour ensuite les tendre très haut vers la vie elle-même.

> Vos enfants ne sont pas vos enfants. Ils sont les fils et les filles de l'appel de la Vie à elle-même. Ils viennent à travers vous mais non de vous. Et bien qu'ils soient avec vous, ils ne vous appartiennent pas. Vous pouvez leur donner votre amour mais non point vos pensées, car ils ont leurs propres pensées. (...) Vous êtes les arcs par qui vos enfants, comme des flèches vivantes, sont projetés. L'Archer voit le but sur le chemin de l'infini, et Il vous tend de Sa puissance pour que Ses flèches puissent voler vite et loin. Que votre tension par la main de l'Archer soit pour la joie ; car de même qu'Il aime la flèche qui vole, Il aime l'arc qui est stable[22].

Le chapitre suivant complétera cette première partie en l'enrichissant de faits vécus.

---

* Il arrive qu'un parent éprouve un sentiment étrange en voyant son bébé pour la première fois. Cette impression est bien légitime puisqu'un être autre que soi – et non une partie de soi – fait son arrivée. Selon les affinités plus ou moins prononcées, il vivra une relation différente avec chacun de ses enfants et son attention se portera à des niveaux distincts.

CHAPITRE 3

DES PARENTS ONT DÉVOILÉ LEURS ATTITUDES

(TÉMOIGNAGES)

Chaque témoignage de ce chapitre, savoureusement partagé, est précédé par les thèmes qui y sont abordés. Certaines personnes ont préféré l'anonymat ; elles signent sous un pseudonyme.

J'ai reçu ces expériences vécues comme de précieux cadeaux, dans un état d'émerveillement semblable à celui que l'on ressent face aux fleurs qui s'ouvrent. Puissiez-vous, à votre tour, y découvrir des parfums d'espoir et d'amour.

Un énorme « MERCI » aux personnes qui ont eu la gentillesse, l'humilité et la patience de les mûrir à point !

AVERTISSEMENT:

Le partage de ce vécu maternel se veut avant tout le miroir de l'expérience de certaines d'entre nous. Il ne prétend surtout pas apporter une ligne de conduite, puisque chaque situation se doit d'être considérée dans son unicité.

Thèmes abordés : Les attitudes passive et active – La fermeté – L'enfant et la maladie.

ON NE FAIT PAS D'OMELETTE SANS CASSER DES ŒUFS

Je dois d'abord préciser qu'il m'a été difficile d'écrire mon témoignage, car plusieurs années m'éloignent déjà de ce vécu. Toutefois, avec le recul, j'ai l'avantage de pouvoir en parler avec plus d'objectivité et de compréhension. Cette expérience a été tellement contradictoire de celle que j'ai connue à mon premier enfant ; on pouvait qualifier ma fille de « bébé facile ». Je retourne donc à ces images du passé...

Après une naissance facile, seulement trois heures de travail, je me retrouve à nouveau avec un petit bébé à couver à la maison. Le premier mois se passe bien ; réveils normaux aux quatre heures. Pour plusieurs raisons, cette fois-ci, j'ai choisi le biberon.

Le deuxième mois, mon fils commence à se réveiller entre ses boires de jour. Je le berce pour qu'il se rendorme, ça fonctionne assez bien. Ensuite, le même scénario se répète le soir et bientôt, la nuit. Les trois premiers mois, nous le berçons, son père et moi, tous les soirs et plusieurs fois la nuit, car aussitôt qu'on le dépose dans son lit, le petit se réveille. J'essaie de le laisser pleurer, mais après 5-10 minutes, je vais le chercher craignant un problème physique quelconque.

À six mois, il fait sa première otite et il en aura d'autres par la suite. La première année, notre fils a plusieurs problèmes de santé : otite, bronchite, sinusite, deux hospitalisations. Je me retrouve donc avec un enfant de 15 mois qui se réveille toujours la nuit. Après sa dernière hospitalisation, au retour à la maison, je suis vraiment insécure, vulnérable et surtout, j'ai un sentiment profond de culpabilité : « Si cet enfant est malade ce ne peut qu'être totalement de ma faute. » J'ai vécu beaucoup d'anxiété lors de ma grossesse. Je me sens maintenant responsable de son état, je suis vraiment désespérée et démunie. Dans ce contexte, il est hors de question que je le laisse pleurer lorsqu'il se réveille. Je crains toujours une nouvelle maladie, ça va de soi ! Cela va de soi également que notre fils s'est habitué à une réponse automatique à ses pleurs. *Service express quoi !*

Un jour, je discute avec une amie de mon problème ; elle me conseille de le laisser pleurer pour voir sa réaction. Cette idée m'apparaît peu acceptable, « S'il pleure parce qu'il souffre et que je le laisse ainsi ? » Plus tard, cette même amie vient passer quelques jours à la maison et me conseille à nouveau de le laisser pleurer. Je décide d'en faire l'expérience, mais je suis peu convaincue. Le premier soir, mon fils pleure tellement qu'il en vomit, il en a pour une heure au moins avant de se rendormir. (Bien sûr, je le change, je vérifie sa couche, son lit, etc.) Le second soir, il pleure presque aussi longtemps, mais il ne vomit pas ; le troisième soir, il pleure environ une demi-heure. De soir en soir, les pleurs diminuent*.

Déductions de cette expérience : problèmes de santé n'aidant pas, les mauvaises habitudes prises très tôt sont difficiles à changer... mais avec de la persévérance, il n'est jamais trop tard. Sevrer mon fils de son « berceton » m'a beaucoup aidée à reprendre confiance en moi en tant que mère et éducatrice.

Depuis ce temps, j'ai bien réalisé que notre fils est un enfant nerveux, impulsif et de caractère fort. Il essaie toujours de gagner, mais je m'acharne moi aussi et je crois que c'est essentiel à son équilibre. Je dois persévérer avec fermeté dans ma façon d'éduquer mes enfants. En plus, cette expérience m'a amenée à m'interroger sur la façon d'agir pour améliorer l'état de santé de notre fils ; je m'intéresse maintenant à l'alimentation et aux soins naturels et j'ai cessé de fumer.

Finalement, tout le monde est gagnant dans cette histoire ! La santé de notre fils s'est grandement améliorée, l'air que l'on respire dans la maison est meilleur et pour moi, quelle victoire ! J'ai découvert que j'avais de la volonté et que si l'on veut être honnête avec soi-même, on trouve toujours un moyen de s'en sortir.

Une mère poule

---

* À ce moment-là, je ne connaissais pas la « méthode progressive » dont il a été question dans le chapitre 2.

Thèmes abordés : Les attitudes passive et active – La fermeté douce – L'allaitement – Faire ses nuits avant trois mois.

AU FIL DES ANNÉES

LES PREMIÈRES SEMAINES DE GABRIEL

À la suite d'un accouchement tragique et déchirant, Joseph ne fait qu'un bref séjour parmi nous. La mort de notre premier enfant nous laisse les bras vides et le cœur gonflé de chagrin. Après cette expérience douloureuse, je me jette à corps perdu sur tout bouquin se rapportant à l'enfantement, sujet qui m'est devenu très précieux. Lorsque Gabriel naît, ce petit trésor tant attendu, je crois tout savoir sur la grossesse, l'accouchement et l'allaitement...

Nous vivons dans une maisonnette qui ne possède qu'une seule chambre à coucher. Il est donc évident pour nous que Gabriel dort dans notre chambre et pourquoi pas dans notre lit ? Des lectures convaincantes m'ont vanté les mérites de cette pratique en m'affirmant que le sentiment de sécurité ultérieur de mon enfant en dépend.

Je prends l'habitude d'allaiter mon bébé juste avant ses périodes de sommeil et il aime bien s'endormir le « nez dans l'assiette ». À mon sens, placer un nourrisson dans son lit et le laisser pleurer jusqu'à ce qu'il s'endorme de lui-même est cruel et démontre un manque d'amour et de sensibilité. Je le berce donc longuement avec joie et contentement même si, très souvent, voulant éviter des pleurs inutiles au moment de le déposer au lit, je dois le remettre au sein une, deux et plusieurs fois. Aussitôt qu'il pleure un peu, je m'installe confortablement pour l'allaiter. Il ne faut surtout pas utiliser une sucette car cet instrument peut nuire à une bonne production lactée. Je me fais donc une joie d'être la sucette ambulante tel qu'on me le recommande.

Ainsi, Gabriel se réveille fréquemment la nuit ; ça me semble tout à fait normal et sain. Comme il dort très près de nous, le moindre son qu'il émet me parvient aussitôt à l'oreille et machinalement Gabriel reçoit sa tétée, *qu'il le veuille ou non !!*

LES MOIS SUIVANTS

Des semaines, puis des mois voient transformer mon petit trésor en un beau et rond bambin aux joues colorées de pomme et aux yeux teintés de ciel bleu. Pendant ce temps, la taille de sa maman s'amincit et ses joues se creusent... car elle continue de l'allaiter avec résignation pour l'endormir et le renvoyer au pays du sommeil, deux à trois fois par nuit. À un an, il se réveille plusieurs fois à toutes les nuits. C'est sous le conseil affectueux de ma mère et au grand soulagement de mon mari que je me décide à le laisser pleurer. Il nous tient en éveil et tendus pendant plus de deux heures. Le même scénario se reproduit pendant quelques nuits pour s'arrêter définitivement en moins d'une semaine. Ah ! Enfin de vraies bonnes nuits de sommeil !

Autant Gabriel n'a pas eu l'occasion de pleurer souvent à l'état de nourrisson, autant il se reprend, sous forme de geignements, arrivé au stade de bambin. J'ai appliqué *la philosophie de l'allaitement sur demande* et je prends maintenant part *aux rouages de l'attention sur demande*. Un syndrome d'autant plus pernicieux qu'en général les parents en sont absolument inconscients. C'est toujours compliqué de mettre Gabriel au lit, autant pour les siestes que pour la nuit. Je me retrouve souvent à le bercer longuement (sans joie, ni contentement) en priant qu'il s'endorme ; c'est une bataille presque à chaque fois.

Cette histoire peut paraître amère ; je dois avouer que c'est avec un peu de regret que je la décris. Surtout parce que par la suite, je ferai des liens entre l'attitude de Gabriel et les erreurs passées.

ÉTIENNE

Étienne naît après Gabriel. Dès sa naissance, nous constatons qu'il est de nature plutôt facile. Il ne me vient pas à l'idée qu'Étienne puisse dormir toute la nuit très jeune. Il est évident pour moi que c'est le nourrisson qui, de lui-même, établira son propre horaire et que je m'y plierai. Nous vivons dans une plus grande maison et lorsqu'il a environ six mois, nous décidons, malgré nos croyances, de le laisser pleurer un peu la nuit. Cette « technique » a un bon effet. Avec lui, je décide d'utiliser la fameuse sucette, ce qui rend le moment du dodo plus attrayant.

ANNE

Trois années plus tard, nous aurons l'immense privilège d'accueillir au sein de notre famille une mignonne petite blonde. Lors de ma grossesse, je mets la main sur une publication adressée aux parents novices : *Preparation for parenting*. Je la lis humblement et goulûment ! Voilà que ces auteurs* me parlent d'horaire, de fermeté, de nuits complètes entre six et huit semaines : ce à quoi tout parent doit s'attendre de la part d'un nourrisson ! Je tombe des nues. Cet enseignement est presque en tous points contraire à ce que je crois à ce sujet. Je suis celle qui refuse d'imposer un horaire à un nourrisson ; je crois que je dois satisfaire les moindres besoins de bébé afin de lui donner sécurité et confort ; je n'ai pas d'objectif quant aux nuits de mes bébés.

Cette lecture m'introduit donc à une philosophie toute différente. J'y apprends que nous devons d'abord considérer notre nouveau trésor comme *un membre qui est le bienvenu dans notre famille et non le centre* ; qu'un horaire régulier le jour – en alternant les boires, les périodes d'éveil et de siestes – contribue grandement à une régularité la nuit ; qu'un nourrisson qui apprend à attendre pour son prochain boire, non seulement ne mourra pas de faim, mais commence déjà un apprentissage vers une maîtrise de soi ultérieure si précieuse à tous les âges ; que si je me fie à mes émotions pour prendre mes décisions, j'ai 50% des chances de me tromper ; et j'en passe.

Armés de cette information et convaincus de son bien-fondé, nous accueillerons Anne avec un plan bien précis en tête. Non pas qu'elle atterrira sur une base militaire ! Elle va plutôt être reçue à bras ouverts dans une famille aimante où les parents encouragent des habitudes utiles à sa formation comme jeune enfant, puis comme adulte équilibré.

Quelques minutes après la naissance d'Anne, je la tiens avec tendresse alors qu'elle prend sa première tétée. Intérieurement, je souris en me disant : « Ne suis-je pas passée d'un extrême à l'autre ? » Je me donne comme objectif qu'Anne dorme des

---

*   Gary and Marie Ezzo, *Preparation for parenting*, éd. Growing Families International Press, 3ᵉ édition, 1990, 168 p.

nuits de dix à douze heures aux alentours de douze semaines. Bien sûr, pour un nourrisson, une nuit de huit heures est un beau cadeau pour les parents. Alors doucement, lentement et avec fermeté, je dirigerai ma petite fille vers un horaire qui fera « mon affaire » tout en répondant à ses besoins à elle. Au début de sa vie, elle boit aux quatre heures à 80% du temps ; dans l'après-midi, elle demande aux trois heures – trois heures et demie. Durant les deux ou trois premières semaines, je l'allaite vers 22 h, puis vers 2 h, et de nouveau vers 6 h. Puis à 4 semaines, elle allonge d'elle-même ses nuits en sautant le boire de 2 h. Je dois avouer que je l'aide un peu en lui donnant sa sucette si elle se réveille ; **si elle pleure, ce n'est pas long ni inquiétant, elle prend du poids et manifeste une joie rassurante le jour**. À 6 semaines environ, ses nuits s'espacent de 22 – 23 h jusqu'à 5 h et demie – 6 h.

Il y a des périodes moins évidentes où elle semble avoir plus faim ; je suis toujours disposée à lui offrir une tétée plus rapprochée mais je garde toujours un écart d'au moins trois heures. Vers l'âge de 8 à 9 semaines, je me décide à ne plus me lever la nuit même si elle pleure. Elle a bien bu avant de s'endormir, elle a de bonnes couches épaisses et absorbantes et moi, j'ai besoin de mon sommeil pour l'amour des autres membres de ma famille et pour mon équilibre. Elle pleure donc un peu, avec insistance parfois, mais elle se rendort toujours pour le reste de la nuit. Au réveil, son sourire et ses gazouillis me confirment qu'elle n'en tient rigueur à personne ! Je sais cependant que si mon bébé pleurait pour une autre raison : une fièvre, une mauvaise posture ou une autre difficulté, je reconnaîtrais une différence dans les pleurs qui m'inciterait à vérifier ce qui ne va pas. Finalement à 3 mois, je peux déposer Anne dans son petit lit vers 19 h – 19 h 30 et elle file au pays des doux sommeils de bébés jusqu'à 7 h le lendemain. Quelle joie que la régularité, quelle libération pour une maman !

Je suis si reconnaissante envers les auteurs de cette brochure dont la lecture nous a amenés, en tant que parents, à prendre en main notre jeune famille. Nous recueillons déjà les fruits d'une douce fermeté envers nos enfants. On a souvent entendu que tout se joue dans la petite enfance ; j'y ajouterais que les premières journées, les premières semaines sont cruciales. Ces jeunes ont besoin d'être dirigés et encadrés dès les premiers jours de leur vie et cette discipline devrait se poursuivre tout le long de leur enfance. Ainsi nous éprouvons de la joie à être avec eux, nous désirons leur présence et considérons leur compagnie comme un merveilleux privilège.

L. Mathieu

Thèmes abordés : Les attitudes passive et active – L'allaitement – Le lit familial – Les « automatismes de contrôle » – La fermeté douce – Bébé prend le jour pour la nuit.

JE GRANDIS AVEC MES ENFANTS

Mon récit s'entremêle d'observations, de réflexions et de mon vécu. Il tourne autour du mot « attitude ». Si je regarde la définition de ce mot, je retrouve ceci : « Disposition à l'égard de qqn ou qqch. ; ensemble de jugements et de tendances qui pousse à un comportement. » (Robert) Personnellement, je dois à mon attitude les nuits blanches qui ont débalancé ma vie...

La venue de mon premier enfant

Mon ventre prend des rondeurs. Cette première grossesse devient un temps d'éveil et de recherche vers des connaissances de toutes sortes. Je ne possède qu'un élan : ne rien manquer, entre autres, lors d'échanges avec des femmes plus expérimentées que moi*. Pouvoir vivre une grossesse en santé et mettre au monde un petit bébé bien portant, voilà ce que j'alimente précieusement dans mon cœur. Souvent on me dit qu'il ne me reste que quelques mois de bonne nuit de sommeil profond et qu'après la naissance du petit, le sommeil interrompu et léger commencera pour ne plus finir. Pour ma part, les nuits

---

*   En plus d'adopter un livre parmi mes lectures, je me joins à un groupe de mamans très convaincues et convaincantes. Sans le savoir, je plonge dans une rivière de pensées où je nagerai à contre courant.

de profond sommeil sont déjà passées : je suis de plus en plus inconfortable dans mon lit. J'ai l'impression de perdre quelque chose de précieux avant mon temps...

N'y a-t-il que le hasard ou la chance qui nous apporte un bébé faisant ses nuits ? Est-ce une malchance que d'avoir un bébé qui se réveille constamment ? Après la naissance de ma fille, je ne vis que des nuits blanches ; j'aurai vite l'impression de subir un mauvais sortilège.

Nous décidons de construire une rallonge à notre lit afin que le bébé soit tout près de moi. Aux moindres pleurs, je lui présente le sein. Les jours et les semaines passent. J'allaite souvent ma fille parce qu'elle a peut-être faim, elle n'a peut-être pas assez bu au boire précédent, pour la réconforter, pour l'endormir et pour toutes les autres raisons possibles ! Je crois que l'allaitement sur demande comble mon bébé*.

Constamment réveillée la nuit, je ne trouve pas le repos. Je ne vais plus aux rencontres de mamans parce que je pense que je suis peut-être « dénaturée ». En effet, je ne me sens plus capable d'être présente 24 heures sur 24. Je pleure facilement, je me sens si fatiguée et découragée. Je veux rayonner la joie et l'amour que je ressens pour mon enfant, mais je porte un poids lourd de fatigue sur mon cœur. Cette enfant me déchire, elle ne respecte pas mes limites et mon repos. Encore à l'âge d'un an, je me lève pour elle cinq ou six fois par nuit. Parfois, je ressens tellement de colère, mais je refoule et je me sens coupable de ressentir tant de frustrations... Alors, je l'allaite et plus je me sens ainsi, plus elle demande.

Ma petite a presque deux ans et je suis complètement détachée des rencontres entre mères. Cela me permet de réaliser, avec un peu de regrets, que j'ai été très « mère poule » avec ma petite fille. J'ai créé entre nous un profond lien de dépendance. Je vois la façon dont elle se comporte et, petit à petit, je constate que je ne lui ai pas appris l'équilibre dans sa vie. Elle a toujours besoin d'avoir de la nourriture à sa bouche. Elle

---

* L'accouchement a été très difficile. La naissance prévue à la maison s'est terminée à l'hôpital avec une césarienne. J'ai mal et je n'arrive pas à l'accepter. Je ne me repose pas et *je suis déterminée à croire que mon bébé a de profonds besoins à combler.*

demande à manger sans arrêt. Si nous allons quelque part, elle est plus sociable si j'ai quelque chose à lui mettre sous la dent*.

Je décide donc de l'allaiter seulement pour sa sieste et pour l'endormir le soir. Elle riposte avec intensité au début, *mais je décide de rester ferme*. Au bout de quelques jours, elle réagit différemment. Elle semble s'épanouir un peu plus au niveau de son émotivité. Elle se tourne vers autre chose à faire et souvent je l'accompagne. Je lui fais remarquer qu'il y a un temps pour se nourrir et je réalise que mes tendances et mes jugements changent. En peu de temps, elle s'acclimate et elle change d'une façon incroyablement vite ! Ma fillette et moi développons une communication verbale très enrichissante. Aussi, on aime bien être l'une contre l'autre avec un bon livre. Nous lisons parfois des volumes qui traitent de la création. Nous parlons de ce que font les gens, les plantes et les animaux pendant le jour et pendant la nuit. La révélation ! Elle réalise qu'il y a une raison pour le jour et pour la nuit. Au moment du dodo, elle reparle de notre lecture. Elle regarde par la fenêtre la venue de la nuit.

Maintenant, lorsque je lui demande pourquoi il y a la nuit, elle me répond, comme si une petite poudre magique était venue se déposer dans ses yeux, que : « Dieu a fait la nuit pour le repos ». Lorsqu'elle se réveille la nuit, je lui rappelle doucement que « c'est la nuit, le temps de dormir ». Je lui remémore brièvement notre lecture de la journée. Pendant plusieurs jours, on parle de la nuit au coucher et, finalement, ma petite ne se réveille plus la nuit. Depuis, aux premiers rayons du soleil, elle ne manque pas de me rappeler pourquoi Dieu a fait le jour !

DEUX AUTRES ENFANTS S'AJOUTENT AU PREMIER

D'abord, avec ma deuxième fille, mon attitude face aux pleurs et ma façon de répondre à ses demandes se transforment. À ce sujet, mes conversations avec une amie m'ont aidée à prendre un recul et à élargir mon champ d'expériences. Le mot besoin prend une autre signification, c'est-à-dire que je n'associe plus le moindre pleur à la tétée ou à ma présence

---

* Voici un exemple « d'automatisme de contrôle » tel qu'expliqué dans le thème « Les pleurs » du chapitre 2.

continuelle 24 heures sur 24. Son bien-être m'importe autant que celui de ma première fille et mon amour est aussi grand ; toutefois, mes perceptions ont changé. Maintenant, il m'arrive de la laisser pleurer avant qu'elle s'endorme et mes réponses à ses demandes ne sont plus inspirées par la crainte de ne pas donner assez. Lorsque je donne, je me donne à 100%, mais j'ai maintenant appris à m'accorder plus de place, en tant qu'individu avec des besoins, dans la relation parent-enfant.

Avec mon troisième bébé, je découvre assez tôt les avantages de « diriger ma barque ». Quelques semaines après sa naissance, mon fils semble prendre le jour pour la nuit. Progressivement, je dois l'amener à déplacer son rythme... Quel défi ! Heureusement, ma mère est là pour m'aider à le garder plus longtemps éveillé durant le jour (débarbouillette fraîche, promenade au grand jour, etc.). Graduellement, chaque soir, j'avance l'heure de son coucher afin qu'il développe le réflexe de s'endormir plus tôt. Le laisser pleurer lorsque je le couche et le réveiller durant le jour s'il dort trop n'est pas une tâche facile. Les changements apparaissent peu à peu, grâce à l'aide de ma mère, à notre patience et à notre persévérance. Nous rétablissons un rythme normal après environ 12 jours. Cette expérience a été exigeante, mais j'y ai redécouvert l'importance de « prendre la situation en main » lors de problèmes avec nos enfants.

Avec ce petit garçon, les résultats de mon changement d'attitude se constatent aussi au niveau de l'allaitement. Tout comme à ma première fille, j'ai à me déplacer avec lui à l'étranger alors qu'il est encore tout petit. Auparavant, dans de telles circonstances, j'envisageais d'allaiter ma fille plus souvent (je l'allaitais déjà fréquemment !) afin de la sécuriser. Vous pouvez imaginer facilement l'épuisement récolté lors de ces voyages. Maintenant je vis le contraire avec mon fils. L'ayant allaité avec un horaire assez régulier et espacé (minimum aux trois heures, parfois plus), ce rythme devient le seul point de repère qui nous rattache à la maison. En voyage, je réalise vite que l'horaire de ses boires apporte une sécurité à mon enfant vivant dans un environnement étranger et dans un quotidien instable pour le reste. Que nous soyons en avion, en visite ou ailleurs, cette nouvelle attitude me sert : j'ai un bébé souriant qui n'est pas constamment « après moi » et je me sens beaucoup mieux disposée que par le passé dans de telles situations.

En conclusion, l'équilibre demeure une valeur à laquelle je retourne toujours et qui me permet de mieux naviguer dans les tempêtes. La santé et l'amour de notre petite famille représentent pour moi de précieux trésors à protéger. Mon expérience se poursuit avec mon conjoint et autour de la vie de mes deux filles et de mon petit garçon : un enseignement qui ne s'arrête jamais.

Mamour

PARTIE II

LE SOMMEIL :
UN AMI À MIEUX CONNAÎTRE

(REGARD SUR SON FONCTIONNEMENT)

CHAPITRE 4

LE SOMMEIL N'A PLUS DE SECRETS...

L'IMPORTANCE DU SOMMEIL
ET APPRIVOISER LA NUIT

Avez-vous déjà remarqué que nous dormons environ le tiers de notre vie ? Cela signifie à peu près 4 mois par année ; c'est énorme ! Les êtres humains et les animaux meurent plus vite d'un manque de sommeil que d'un manque de nourriture[1]. Quelle souffrance ! D'ailleurs, « [la] privation de sommeil fait partie des méthodes utilisées par les tortionnaires[2] ».

Si le repos est vital, comment sensibiliser le jeune enfant à son importance ? Une des façons de le faire est d'aborder le sommeil par le biais de la vie animale, car le petit aime générale-ment ce règne familier. En lui racontant que les animaux font dodo eux aussi, on peut lui rappeler ceux qui dorment jusqu'au matin : les hirondelles, les poules, les poissons, les vaches, les chevaux, les abeilles, etc. Mentionnons-lui aussi qu'un rythme incontournable est toujours respecté, même si on retrouve des veilleurs de nuit comme les grillons, les renards, les chats et les grands félins, les hiboux, les chauves-souris, les grenouilles, etc.[3] Avec un peu d'imagination, on peut inventer ensemble tous les scénarios souhaités. Par exemple, l'histoire de son animal pré-féré qui dort toute la nuit ; l'histoire de la chouette aux gran-des ailes protectrices, gardienne de nuit ; etc.

Chez le sujet actif, dormir peut sembler une perte de temps ; il est bon de le renseigner sur les petits secrets du sommeil. Durant la nuit, le corps nous révèle un dynamisme merveilleux.

Par exemple, certaines glandes sont très actives : celles qui font grandir et celles qui donnent du lait aux mamans ; les ongles, les cheveux et la barbe poussent plus vite la nuit[4]. L'enfant imaginatif visualisera facilement son corps en pleine régénération et, par la même occasion, il découvrira de bons aspects au sommeil.

Dans le même ordre d'idées, une façon d'initier agréablement l'enfant à l'obscurité est d'aller observer avec lui les merveilles de la nuit. Pour partager de belles expériences nocturnes – regarder les étoiles filantes ou tout autre phénomène particulier – pourquoi ne pas lui permettre de se coucher exceptionnellement plus tard ou même de le réveiller ? Il en gardera de magnifiques souvenirs ; car de la simple observation des étoiles à la passion pour l'astronomie, une attraction particulière se fait sentir la nuit. Qui n'a pas souvenance d'avoir levé son regard vers le ciel nocturne et d'avoir vécu un sentiment d'appartenance, à la fois à la terre et à ce qui règne au-delà ?

LES PHASES DU SOMMEIL

Le sommeil est loin d'être un état monotone ; il se divise en plusieurs phases. Les différents problèmes de sommeil se situant à des stades précis, nous pouvons intervenir plus efficacement si nous connaissons ces phases et pouvons les identifier.

On parle principalement de <u>deux types de sommeil</u> : <u>le sommeil lent</u> (appelé aussi sommeil classique) et <u>le sommeil paradoxal</u>.

<u>Le sommeil lent</u> survient immédiatement après l'endormissement et précède le sommeil paradoxal ; il se divise en quatre stades, de la somnolence jusqu'au sommeil très profond. Le sommeil lent du nouveau-né n'est pas encore organisé à la naissance, tandis que « le sommeil paradoxal est le stade qui s'organise le plus tôt[5] ».

Les différents niveaux de profondeur dans le sommeil expliquent pourquoi un bébé endormi pleure dès qu'on le dépose dans son lit et pourquoi il ne se réveille pas à un autre moment.

LES STADES DU SOMMEIL LENT[6] :

(des ondes lentes sont observées à l'électro-encéphalographe) *

Stade 1 :　– État de somnolence ; nous sommes à ce stade lors-
(Endormissement) que nous fermons les yeux sans le vouloir, som-
　　　　　　　　meillons quelques instants durant une réunion
　　　　　　　　ou après un repas copieux. On peut avoir un sur-
　　　　　　　　saut et parfois des images qu'on associe à des rê-
　　　　　　　　ves courts.

Stade 2 :　– Sommeil un peu plus profond.
(Sommeil léger) – Réveil facile, juste à l'appel de notre nom.

Stade 3 :　– Sommeil profond.

Stade 4 :　– Sommeil très profond.
　　　　　　　– Il faut un grand stimulus pour nous réveiller, telle
　　　　　　　　une situation urgente.
　　　　　　　– Le réveil se fera lentement et avec confusion.
　　　　　　　– Le bébé transporté de la voiture à la maison et
　　　　　　　　déshabillé sans se réveiller est sûrement dans ce
　　　　　　　　stade de sommeil.

N.B :　　Les démarcations entre ces phases sont imprécises,
　　　　　on passe graduellement de l'une à l'autre.

Quant au <u>sommeil paradoxal</u>, il porte ce nom parce qu'on
a observé des faits contradictoires entre l'aspect extérieur du
dormeur et la vie intérieure qui s'y déploie. Le corps démontre
une relaxation profonde, mais en même temps, le pouls et la
tension s'accélèrent, les sécrétions hormonales changent, les
fonctions cérébrales s'activent, il y a des mouvements oculaires
rapides sous les paupières (les rêves correspondent à ces mouvements des yeux), etc. À l'électro-encéphalographe, les ondes
lentes du sommeil lent sont maintenant remplacées par des
ondes rapides *semblables à la veille*. Voilà pourquoi on dit qu'à la
naissance « l'enfant a un tracé pratiquement dénué de
rythmicité. Ceci correspond au moment où sa maturation neu-
rologique se traduit par un état de veille très peu distinct de

---

*　Appareil servant à observer l'activité du cerveau durant la veille et le sommeil.

l'état du sommeil[7] ». Cet état correspond à la phase paradoxale, étape dans laquelle le nouveau-né à terme passe 50% de son temps de sommeil ; « il n'y passera plus que 33% à l'âge de 3 ans, et n'atteindra le niveau adulte de 25% que plus tard dans l'enfance ou l'adolescence[8] ». Il est généralement difficile de réveiller une personne durant le sommeil paradoxal ; le tonus musculaire étant relâché, le corps demeure engourdi et bouge difficilement – la vigilance revient toutefois plus vite qu'au stade quatre du sommeil lent.

Plusieurs auteurs soulignent l'importance du sommeil paradoxal. On rapporte, entre autres, des études faites sur des animaux qui, privés de cette phase, s'agitent et même meurent ! Il ne faut donc pas se surprendre qu'un enfant privé de ses phases naturelles de sommeil devienne irritable et turbulent. Si les chercheurs reconnaissent l'importance du sommeil paradoxal, la plupart d'entre eux se demandent encore pourquoi ce stade demeure aussi important à un développement équilibré et pourquoi on le retrouve dans une proportion beaucoup plus grande chez le prématuré et le nouveau-né.

Dans certains articles réservés au sommeil[9], on apporte des explications à la raison d'être du sommeil paradoxal. Pour comprendre ce qui s'y passe, il faut toutefois situer l'être humain dans toutes ses dimensions. On rappelle d'abord que le sommeil lent est utile pour le corps et le cerveau fatigués – sa fonction récupératrice est d'ailleurs soulignée par différents auteurs. Quant au *sommeil paradoxal,* il est indiqué qu'il *permet à l'esprit –* qui n'a pas besoin de repos – *de se libérer temporairement* et de vivre des expériences utiles à son évolution : *les rêves.* Lors de recherches, « [en] réveillant systématiquement les volontaires durant la phase de sommeil paradoxal, les spécialistes en ce domaine purent s'assurer que ces dormeurs venaient de rêver[10] ».

On parle de plus en plus de la signification et de l'importance des rêves. Cet intérêt n'est pas d'aujourd'hui...

Nous disposons de nombreux témoignages qui prouvent qu'à travers les âges les rêves ont toujours été pris au sérieux. Ils ont influencé maintes décisions économiques et politiques. On leur doit également certaines connaissances et même plusieurs œuvres de valeur[11].

L'idée d'un relâchement entre le corps et l'esprit n'est pas non plus d'aujourd'hui.

Chez de nombreuses tribus, le sommeil se traduit par la séparation ou la sortie d'une des composantes de l'être humain qui peut se déplacer et jouir d'une autonomie momentanée. D'où le conseil de ne pas réveiller brutalement un dormeur de peur que son âme n'ait pas le temps de rejoindre son corps[12].

Dans cette perspective, on peut comprendre pourquoi, lors du sommeil paradoxal, on observe chez le dormeur une activité interne intense et pourquoi son corps répond plus ou moins difficilement à l'appel si on le réveille.

De même, avec toutes les données précédentes, la plus grande proportion de sommeil paradoxal chez le prématuré (80%)[13] et le nouveau-né (50%) s'explique – l'adulte (25%). La naissance étant le passage entre le monde que le nouveau-né vient de quitter et celui dans lequel il naît, il n'est pas surprenant qu'il demeure en contact avec le milieu qu'il vient de laisser. Et bien sûr, dans une proportion plus grande chez le bébé prématuré, puisqu'il vit la transition terrestre avant son temps*.

Le parent réceptif à cette dimension saura bercer son petit prématuré par des gestes et des paroles enveloppantes. Retenons que ce bébé a particulièrement besoin de chaleur humaine et peut exiger davantage de soins. Dans ce contexte, il convient d'être patient et de considérer la période écourtée dans le ventre maternel. Il est possible que le prématuré pleure davantage qu'un autre né à terme (V. « Les pleurs », chap. 2). Les premiers moments passés, la confiance parentale évitera les craintes et les sollicitations excessives.

Sans faire de ces notions des connaissances compliquées, il s'agit de reconnaître tous les bienfaits apportés par le sommeil aux différentes dimensions de l'être, aux diverses étapes de sa

---

*   « (...) à condition de savoir qu'à chaque naissance une âme pré-existante et ayant déjà parcouru un long périple vient s'incarner. Cette âme ne rêve donc pas. Elle vit consciemment en liaison avec le plan qu'elle vient de quitter[14] ».

vie. Quelle merveille ! Le sommeil ressource véritablement le corps et l'esprit.

Dormir, c'est « rentrer chez soi », dans sa demeure intérieure, car le sommeil est essentiellement un rendez-vous, une rencontre avec soi-même, son moi des profondeurs. Pour cela il faut d'abord se sentir bien chez soi. Il faut même aller encore plus loin et comme tout animal se sentir à l'étroit avec un contact rassurant : dans un trou, dans son nid, dans son lit ; ce n'est pas seulement pour avoir chaud au corps qu'un (...) humain se pelotonne ainsi et rétrécit ses limites, mais chaud à « l'âme »[15.]

« Ceux qui sont réveillés ont un monde commun,
mais chacun des dormeurs se retire
dans un monde qui lui est propre. »
le philosophe Héraclite (avant l'ère chrétienne)

QUELQUES INDICES POUR RECONNAÎTRE LA PHASE DE SOMMEIL DU BÉBÉ[16] :

Sommeil lent :

- Respiration profonde et régulière.

- Calme.

- Mouvements de succion, parfois sursaut de tout le corps.

Sommeil paradoxal :

- Mouvements saccadés.

- Respiration irrégulière.

- Sourire.

- Mouvements des yeux sous les paupières.

LES CYCLES DU SOMMEIL

Les différentes phases du sommeil se répètent plusieurs fois au cours de la nuit et forment des cycles. Sans les détailler explicitement, notons que les cycles ne sont pas tous identiques. Le début de la nuit – jusqu'aux alentours de 23 heures – se compose surtout de sommeil lent profond (stade quatre). Se succèdent ensuite – d'environ 23 heures à 4-5 heures – le sommeil lent léger (stade deux) et le sommeil paradoxal (ce dernier s'allonge au cours de la nuit). Des éveils brefs parsèment aussi le sommeil (nous le verrons plus loin). Vers le matin, les jeunes enfants retournent dans une phase de sommeil lent profond (stade trois ou quatre)[17]. Voilà pourquoi un enfant peut bien dormir au début de la nuit, mais avoir de nombreux réveils entre 22 heures et 4 heures.

La longueur des cycles – temps qui s'écoule entre deux apparitions successives du même stade[18] – est d'environ 50 minutes chez le bébé et de 90 minutes chez l'adolescent et l'adulte. Un cycle de sommeil complété est généralement préférable à un cycle incomplet. Ce facteur peut parfois être aussi important que la durée du sommeil et explique pourquoi il nous arrive de nous réveiller bien disposés après une courte nuit[19]. Lorsqu'on doit éveiller un enfant durant son sommeil, il est donc souhaitable de le faire après un cycle complet. Si on ne parvient pas à déterminer ce moment idéal, on comprendra mieux, tout au moins, son attitude au réveil.

LES RÉVEILS NORMAUX

Saviez-vous que des **réveils brefs et normaux** se produisent plusieurs fois par nuit, tant chez l'adulte que chez l'enfant ? Les premiers surviennent après le stade quatre du sommeil :

> [L'enfant] se frotte peut-être le visage, mâchonne, se retourne, pleure un peu, ou parle de façon inintelligible. Il peut ouvrir les yeux pour un instant avec un regard vide, ou s'asseoir rapidement avant de s'endormir[20].

Lorsque l'enfant montre simultanément des signes de sommeil et de veille, il s'agit d'un « éveil partiel du sommeil profond (...) L'éveil partiel peut durer de quelques secondes à plusieurs minutes[21] ».

Il y a d'autres moments où vous pouvez remarquer un réveil bref et plus net ; il s'agit d'un réveil qui suit la phase de sommeil paradoxal.

[L'enfant] remonte ses couvertures, vérifie que tout est normal avant de se rendormir. Ce réveil a ainsi plusieurs fonctions : l'enfant a besoin de changer de position pour la santé de sa peau, de ses muscles et de ses articulations, et il cherche à vérifier que les choses sont les mêmes que lorsqu'il s'est couché[22].

Une amie me racontait que régulièrement avant d'aller dormir – environ aux mêmes heures – elle allait vérifier l'état de sa petite et celle-ci était souvent réveillée. Lorsqu'on sait que des réveils brefs font partie du déroulement normal du sommeil, on peut les observer sans s'en préoccuper outre mesure.

Dans d'autres cas, si l'ambiance est exceptionnellement turbulente, on ne se surprendra pas qu'un bébé se manifeste lors de ses courts réveils. De même, dans une période de tensions, de changements ou d'inquiétudes, l'enfant peut exploiter davantage ses moments d'éveil. Comparons-le à l'adulte qui se couche soucieux et qui, lors de ses brèves périodes d'éveil nocturne, ressasse ses préoccupations. L'enfant anxieux réagit identiquement. À ce moment-là, il importe de rassurer le petit, mais il faut surtout chercher la cause et en parler avec lui le jour – lorsque l'âge le permet. De cette façon, on évite que la nuit devienne une occasion d'échanges où l'enfant occupe et prolonge ses réveils.

Par ailleurs, pourquoi la proximité parents-enfant durant le sommeil n'est-elle pas toujours souhaitable ? Entre autres, à cause des réveils partiels et de la durée différente des cycles des enfants et des adultes. « Des études ont montré que les mouvements et les éveils nocturnes d'une personne entraînent des éveils ou des changements de stades plus fréquents chez ceux qui sont dans le même lit, ce qui fait que ceux-ci ne dorment pas bien[23] ».

En terminant, notons qu'il existe un lien entre les réveils normaux et la façon d'endormir un bébé. Nous le verrons dans le thème « Raconte-moi comment tu t'endors » dans le chapitre suivant.

LES SIESTES ET LA DURÉE DU SOMMEIL JOURNALIER

Les siestes sont des temps de récupération précieuse pour l'enfant et le parent. Ces moments relais leur permettent de se ressourcer. Pour la mère, surtout dans les premiers mois qui suivent l'accouchement, se permettre de s'arrêter en même temps que le bébé favorise positivement sa relation avec le nouveau-né.

Le premier moyen pour inviter le sommeil est certainement de **coucher le petit toujours à la même heure**. Le deuxième est de **le laisser s'endormir seul***. Les enfants dont on respecte ces deux habitudes dès le jeune âge ont généralement plus de facilité à accueillir le sommeil et réussissent mieux à s'endormir dans différentes circonstances.

Les siestes doivent se faire ni trop tôt, ni trop tard. Il s'agit de les instaurer en équilibre avec les heures de sommeil nocturne. **Le milieu de l'avant-midi et le début de l'après-midi** semblent recommandés ; toutefois, chaque bébé est différent. En étant attentif aux besoins et aux signes démontrés par l'enfant, on adaptera son sommeil diurne en conséquence. Un enfant faisant de longues siestes et n'ayant pas de difficultés de sommeil a besoin d'autant de repos ; cependant, s'il démontre des problèmes d'endormissement le soir, il faut vérifier si les siestes dérangent le sommeil nocturne. (Ce sujet sera abordé dans le chap. 6.) En général, à partir d'un an, la sieste du matin raccourcit ; elle s'estompe graduellement et se termine avant deux ans. Il ne reste alors que celle de l'après-midi ; elle cesse habituellement autour de trois ans, si toutefois elle persiste, elle se prolonge rarement au-delà de cinq ans.

Lors des périodes de transition (le passage de deux siestes à une seule ou d'une à aucune), on peut offrir des « **moments d'arrêt** » au petit qui en manifeste le besoin. Différents d'une sieste, car l'enfant ne se couche pas, il s'agit d'occuper ces temps par des activités apaisantes, dans une ambiance particulièrement calme. C'est le moment choisi pour s'arrêter avec lui, écouter une musique douce, regarder un livre, prendre une collation,

---

*   Plus de détails à ce sujet dans le thème: « Raconte-moi comment tu t'endors », chap. 5.

etc. Le parent de plusieurs enfants se voit d'ailleurs limité à ces pauses, en présence des plus vieux, pendant que le petit dernier jouit encore de ses siestes. Dans les milieux de garde, on ne néglige généralement pas ces moments – si courts soient-ils – car l'enfant y est entouré de multiples stimulations.

La durée totale du sommeil journalier varie avec l'âge et selon les individus. Si les bébés et les enfants doivent dormir « juste assez », il n'est pas toujours facile d'évaluer la durée suffisante. Certains indices peuvent toutefois indiquer au parent que le petit manque de sommeil : il est somnolent (il bâille, il se frotte les yeux), il est d'humeur irritable (il pleurniche facilement), il est moins agile dans ses gestes (il fait davantage de dégâts, il tombe plus souvent), etc. Ces signes nécessitent alors une sieste ou un simple « moment d'arrêt ».

La durée totale des heures de sommeil généralement proposée dans les livres n'est pas toujours conforme à celle de notre enfant. J'ai tout de même essayé, dans le tableau de la page suivante, de faire une moyenne raisonnable des temps de sommeil proposés par la majorité des auteurs. Il peut servir de guide tout en considérant que chaque enfant a son profil.

Tableau 4.1   **DURÉE MOYENNE DU SOMMEIL – Siestes incluses -**

ÂGE	HEURES TOTALES – Siestes incluses –	À NOTER...
0 – 3 MOIS	20 – 16 heures	– Après la naissance, il dort *généralement* beaucoup. – Le nombre d'heures diminue avec l'âge. – Tant que le rythme veille-sommeil n'est pas installé, il dort durant des périodes d'environ 3-4 heures.
3 – 6 MOIS	16 – 14 heures	– À partir de 3 mois – parfois avant – il peut faire de plus longues nuits (8-10 heures). – 2 siestes par jour.
6 MOIS – 1 AN	14 – 13 heures	– À 6 mois, son sommeil nocturne peut couvrir une période variant de 10 à 12 heures. – 2 siestes par jour. – La longueur des siestes peut varier de 20 minutes à 2 heures.
1 – 2 ANS	14 – 12 heures	– Le sommeil nocturne peut totaliser 11 heures et être suffisant ; cela dépend du sommeil diurne et du type de dormeur. – Vers 1 an et demi, parfois même à partir d'un an, certains bébés n'ont qu'une longue sieste par jour plutôt que 2 petites.
2 – 6 ANS	13 – 11 heures	– À 2 ans, il ne reste que la sieste de l'après-midi et elle cesse vers 3 ans, rarement au-delà de 5 ans.
6 – 10 ANS	11 – 10 heures	– De 6 à 10 ans, les heures de sommeil peuvent diminuer d'environ 1/4 d'heure par année.

N.B. : Ces données sont approximatives et peuvent varier selon les enfants ; toutefois, on peut s'interroger lorsque l'écart est de plusieurs heures.

PARTIE III

LES ENNEMIS À DÉMASQUER...

(REGARD SUR LES DÉSORDRES MULTIPLES DU SOMMEIL, LEURS CAUSES ET LEURS SOLUTIONS)

CHAPITRE 5

RACONTE-MOI TA JOURNÉE
ET JE DESSINERAI TA NUIT

> *Lors d'un problème de sommeil,*
> *il faut toujours se rappeler que*
> *le jour et la nuit*
> *forment un tout indissociable**.

Pour répondre adéquatement aux besoins d'un enfant qui démontre un problème de sommeil, il faut parfois savoir « faire les liens ». En effet, le sommeil hérite des effets subtils des nombreuses interactions de la journée. Même si certaines circonstances peuvent sembler banales,

le sommeil d'un enfant devient très vite une manière de réagir. Il sera tributaire de l'organisation de ses journées, de l'éducation dans tous les domaines, même très éloignés de celui du sommeil, et enfin du type de relation qu'il a ou souhaite avoir avec ses parents[1].

Des mères m'ont raconté qu'au moment où elles sont retournées sur le marché du travail, leur enfant a commencé à se réveiller et pour certaines, à aller les rejoindre la nuit. La plupart

---

*   Le tableau « Souvenez-vous... »(1), en annexe, résume les principaux aspects à considérer, durant le jour, pour favoriser le sommeil. Il apporte une synthèse de plusieurs éléments clés élaborés au cours du volume.

du temps, l'enfant cherchait à compenser la diminution des contacts diurnes. Cependant, ces situations différaient selon que le retour au travail enthousiasmait ou non le parent, suivant l'harmonie dans laquelle il se faisait et d'après la disponibilité parentale en dehors des heures de travail. Lorsqu'un parent pense que les réveils proviennent d'un manque de rapprochements, il aura intérêt à bien informer l'enfant de la nouvelle situation, à favoriser des contacts de qualité durant le jour – au réveil ou en soirée – et à maintenir des interventions nocturnes concises.

> [Les] réveils (...) peuvent se trouver renforcés par l'attention qu'on donne [au bébé]. C'est encore plus vrai quand on lui accorde trop peu d'attention dans la journée, et surtout s'il passe trop peu de temps avec vous[2].

LE JOUR : ON BOUGE !

Si les relations affectives vécues au cours de la journée ont des répercussions sur la qualité du sommeil, on ne saurait ignorer l'importance d'une saine activité physique.

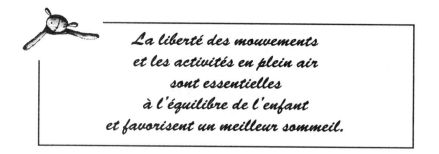

La liberté des mouvements et les activités en plein air sont essentielles à l'équilibre de l'enfant et favorisent un meilleur sommeil.

Une mère m'a raconté ceci : « Le soir, lorsque j'arrivais du travail, mon fils était maussade et surexcité. J'ai dû changer de gardienne quatre fois en un an avant d'en trouver une qui veuille sortir quotidiennement avec lui. Maintenant qu'il sort et s'active tous les jours, il n'est plus le même et il accueille mieux l'heure du coucher ».

Pour comprendre ce qui s'est passé dans le cas de ce petit garçon, pensons à notre état suite à une bonne journée de plein air... Si notre corps est fatigué, il est aussi rassasié. De même, l'enfant stimulé par des occupations extérieures se dépense physiquement et satisfait son élan d'exploration. De plus, lorsque ces activités sont pratiquées avec les parents, ces derniers nourrissent leur lien avec l'enfant. Que dire de ces longues promenades, de ces jeux ou de ces silences égayés par le chant des oiseaux ? Que de moments d'émerveillement complices... gravés à tout jamais dans nos cœurs. Même si ce n'est pas toujours facile (surveillance constante selon l'âge), il y a toujours une belle compensation à accompagner et à observer les enfants. (Je m'étonne souvent de leurs yeux qui ne sont jamais assez grands pour tout voir ou de leurs bras trop courts pour atteindre ce qu'ils désirent.)

Sortir quotidiennement avec des petits requiert toutefois une bonne santé ; sinon, la moindre excursion devient une source de fatigue et de problèmes. Ce rituel quotidien exige aussi de la disponibilité et la volonté d'en faire une priorité. Avec les horaires chargés – même à la maison –, il peut être facile de manquer de temps pour ces sorties. Je me souviens du témoignage d'une mère de jumeaux qui les sortait tous les jours. L'hiver, pour faciliter l'habillage, elle en déposait un dans son lit pendant qu'elle habillait l'autre. Elle avait une attitude et une façon de procéder qui, malgré la situation exigeante, leur permettaient de savourer régulièrement les joies du plein air. Elle m'a démontré combien *nos attitudes face à la vie sont à la base de nos actions les plus banales et les plus importantes.*

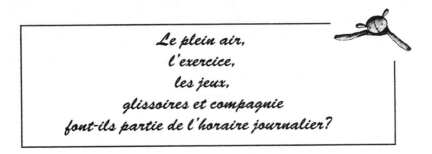

Le plein air,
l'exercice,
les jeux,
glissoires et compagnie
font-ils partie de l'horaire journalier ?

Puisque les enfants qui se dépensent au cours de la journée bonifient la venue et la qualité de leur sommeil, n'hésitez jamais à sortir avec eux, ils n'en retirent que des bienfaits et vous aussi.

Par ailleurs, mentionnons que l'adulte non avisé peut se laisser tenter par les gadgets publicitaires inventés pour les parents et non pour le bien des enfants. Qu'il s'agisse du parc, de la « marchette » ou du siège pour bébé qui le fait sautiller, *selon l'utilisation qu'on en fait,* ces instruments risquent de remplacer le rôle parental et privent le petit d'expériences **nécessaires** à son développement sur divers plans.

UN HORAIRE RÉGULIER, ÇA AIDE...

Une autre intervention diurne que le parent peut faire pour prévenir – parfois solutionner – des problèmes de sommeil est de privilégier la constance dans les heures de repas, de siestes, de bain et de coucher. « Quels que soient l'âge et la cause du trouble, un horaire stable aide au succès du traitement et peut être une cure à lui tout seul[3] ». Offrir un horaire diurne régulier au petit, c'est lui donner des points de repères qui l'empêchent de se déphaser et qui permettent la venue du sommeil dans un *rythme familier.* Cet horaire devient une référence sécurisante lors de situations instables (V. le témoignage : « Je grandis avec mes enfants », chap. 3).

J'ai constaté à plusieurs reprises l'efficacité de cette discipline aimante appliquée par les parents. Dans plusieurs cas où cette cadence était présente dès la naissance, les bébés faisaient leurs nuits dès 2-3 mois. Aussi, une mère me raconta qu'après l'épuisement ressenti à la suite d'un allaitement sur demande, elle décida d'imposer graduellement un horaire pour les boires de jour à son nourrisson de 3 mois et les réveils nocturnes ont cessé. Si « [dans] les premières semaines, vous suivez la plupart du temps l'humeur de l'enfant, (...) à 3 mois il devient important de lui donner une structure de plus en plus logique[4] ». Dans les cas où il apparaît difficile de donner un horaire au petit, on commencera par noter l'heure des boires, des couchers et des réveils. On remarquera certaines constances et on pourra y apporter les ajustements nécessaires avec l'aide de la méthode progressive (V. chap. 2).

Faites donc de votre mieux pour aider votre bébé à établir un horaire convenable pendant ses trois premiers mois et maintenez celui-ci autant que possible au long de l'enfance.

(...)

Vous vous ferez plaisir à tous les deux, parce que si votre bébé se règle vous utiliserez mieux votre propre temps et profiterez davantage de lui quand il est réveillé[5].

CE QU'IL FAUT SAVOIR AVANT DE DIRE « BONNE NUIT ! »

Imaginons une soirée passée autour d'un feu de camp. De quoi nous imprègne-t-elle ? De chaleur et de calme ; elle incite à faire un retour sur soi ou à communiquer. Ces veillées révèlent bien les sentiments favorables à la venue du sommeil, c'est-à-dire, **la chaleur humaine et l'occasion d'exprimer ses émotions, de partager simplement du bon temps avec des êtres chers**.

Avec le bébé, les divertissements en soirée peuvent être variés. On peut le bercer (sans l'endormir – on verra pourquoi dans le thème suivant), le laisser s'amuser calmement, lui faire prendre un peu l'air ou le distraire tranquillement.

À titre préparatoire, les occupations paisibles avec l'enfant qui grandit sont nombreuses : colorier, dessiner, faire des casse-tête, chanter, etc. On peut aussi l'encourager à se distraire par lui-même. Il découvrira et aimera se garder des moments d'intimité en vieillissant.

Qu'il s'agisse d'un nouveau-né ou d'un enfant, **le seul fait de le préparer toujours aux mêmes heures le prédispose bien à la nuit**. On l'a vu, la régularité a des effets bénéfiques surprenants sur le sommeil. Les soins d'hygiène font partie de ces préliminaires routiniers pour petits et grands (brosser les dents, les cheveux, donner un bain aromatisé aux plantes apaisantes de préférence à la douche plus stimulante, etc.).

De plus, un rituel quotidien apporte un sentiment de sécurité à l'enfant. Ce dernier connaît et peut même anticiper avec joie le déroulement des occupations rituelles. Il sait, par exemple, que suite à une activité calme, partagée ou non avec les parents, des soins d'hygiène le détendront et que des tendresses viendront l'envelopper au moment d'être bordé.

Lorsqu'on souhaite bien préparer un enfant au sommeil, **certaines habitudes pratiquées au cours de la soirée ont avantage à être évaluées.** C'est le cas de la télévision. Il est stupéfiant d'entendre de jeunes enfants énumérer la liste des films terrifiants qu'ils ont visionnés.

> Le soir, lorsque l'enfant abandonne son peu de contrôle sur le monde, et qu'il devient incapable de vérifier ce qui l'entoure, ses fantasmes (...) ont toutes les chances de surgir et d'être terrifiants. On doit s'attendre à des difficultés au moment du coucher[6].

Et l'on se demande pourquoi un enfant a peur de se coucher seul ? Pourquoi il doit dormir la lumière allumée ? Pourquoi il fait des cauchemars ? Pourquoi ? Pourquoi ? La télévision n'est pas toujours la réponse à toutes ces questions, mais il faut savoir faire les liens lorsqu'il y a lieu.

Par ailleurs, est-il surprenant qu'un petit refuse d'aller au lit, alors que toute la famille a les yeux rivés sur l'écran ?

> Ce qui revient à lui demander de passer d'une réalité flamboyante de couleurs et d'action à un monde d'obscurité et de repos. Il le ressentira comme une frustration injuste et souvent insupportable avec ce qu'elle entraîne de ressentiment, d'opposition et de troubles du sommeil[7].

Utilisé *avec modération et un sens critique*, le téléviseur peut devenir une occasion agréable de se regrouper en famille. Dans certains cas, on décidera non seulement de minimiser les heures passées devant l'écran, mais on préférera partager des activités parents-enfants.

Parmi les occupations de la soirée à évaluer, on ne pourrait passer sous silence les effets des radiations électromagnétiques à faible puissance de nombreux appareils :

> écrans cathodiques, jeux vidéo, ordinateurs scolaires, terminaux informatiques, écrans de télévision... émettent à courte distance des ondes électromagnétiques de basse fréquence, jugées par de nombreux chercheurs comme nocives et sources de multiples

perturbations de l'état de santé. (...) lassitude inexpliquée, fatigue extrême, (...) irritabilité, maux de tête, troubles de vision, insomnies...[8]

Il est commun d'observer l'excitation des enfants après de longs moments passés devant le téléviseur ou les jeux vidéo. (Malheureusement, ces activités offrent aux parents une gardienne à la portée de la main.) Pour prévenir, il s'agit de limiter la durée et les périodes de ces loisirs (avec modération en fin de journée, tout en proposant d'autres types de distractions), de vérifier leur contenu (programmes télévisés et jeux vidéo) et de garder une distance de six à huit fois la mesure diagonale de l'écran. L'intensité du volume est un autre facteur à considérer lorsqu'on parle des effets de ces appareils sur le système nerveux. « On devrait aussi apprendre aux enfants à ne pas se tenir près des côtés ou de l'arrière des téléviseurs et des ordinateurs, car les champs y sont plus intenses[9] ».

Plusieurs facteurs, au cours de la soirée, peuvent donc nuire ou préparer au sommeil. Mais quelles que soient les activités pratiquées, l'heure du coucher survient irrémédiablement et pour la majorité des petits et des grands, ce moment représente *un temps spécial* de la journée.

Lorsqu'arrive enfin « l'heure du dodo », propice aux confidences, il est d'autant plus apprécié si on en fait une occasion agréable. Voilà le moment idéal pour **raconter une histoire !** Qui n'aime pas les contes ? Ils touchent et nourrissent le merveilleux chez l'enfant. Les histoires traditionnelles ont souvent un sens symbolique nécessaire à l'éveil et à la vigilance intérieures de l'enfant ; de l'adulte aussi... Des médecins ont écrit : « Racontez et répétez souvent des contes de fées à vos enfants, vous nous consulterez moins[10] » ! **Les histoires enregistrées sur cassettes** n'ont pas la chaleur de la présence parentale, mais elles offrent une autre façon de nourrir l'imaginaire de l'enfant, tout en étant utile au parent moins disponible certains soirs.

Les disques de musique douce possèdent aussi cet aspect « dépanneur » utile au parent débordé, tout en apportant une dimension de calme et de sécurité au petit. Et si l'adulte a le loisir de partager cette halte bien méritée, à la fin d'une journée remplie, réussira-t-il à ne pas se laisser gagner par le sommeil ?...

Finalement, la bonne vieille prière demeure un prélude au sommeil toujours actuel. Les petits garderont de beaux souvenirs de ces courts moments de recueillement et surtout, ils apprendront d'eux-mêmes à préparer leur cœur à la nuit ; dans la mesure, toutefois, où ces moments d'arrêt n'auront pas été imposés, mais souhaités de part et d'autre.

Chaque parent a sa façon de border ses enfants : certains aiment des moments courts, d'autres préfèrent y mettre plus de temps. L'important est de faire un rituel *transportable et nuancé* afin de permettre à l'enfant de se préparer au sommeil dans différentes circonstances. De cette façon, on encourage **la régularité dans les heures du coucher et la souplesse dans la durée et la variété des activités rituelles**. L'enfant doit apprendre à s'adapter aux fluctuations familiales et accepter qu'on ne puisse pas toujours lui donner ce temps, si précieux soit-il.

Et si, malgré des activités préparatoires agréables, le coucher s'avère difficile, il faut **se rappeler qu'il représente le moment de la séparation et qu'il peut s'avérer angoissant pour certains petits**. On peut alors encourager l'expression des sentiments chez l'enfant et le sécuriser. (Plus de détails dans : « Pas très chouette de s'endormir à l'heure des chouettes », chap. 6.)

Lorsque l'enfant est finalement au lit, il peut être tentant de marcher sur le bout des pieds et de ralentir nos activités afin de favoriser son sommeil. Pourtant, pour bien des parents, lorsque les enfants se couchent, c'est le « quart de nuit » qui commence... Pour d'autres, s'annonce une période de créativité importante. Alors, ne craignons pas de vaquer à nos activités, il s'agit davantage d'une question de dosage et d'habitude. Je me souviens qu'après la naissance de notre poupon, mon mari jouait souvent du piano le soir. L'instrument était près du mur adjacent à la chambre et notre fils ne s'est jamais réveillé à ces moments-là ; il s'y est probablement habitué. D'ailleurs, avant trois mois, vous pouvez remarquer que votre nouveau-né dort aussi bien dans le bruit que dans le silence. « Dans les 3 premiers mois, le seuil élevé des perceptions auditives fait que l'enfant arrive à dormir même au milieu du bruit[11] ». En vieillissant, il sera toutefois plus sensible aux sons environnants. Ce fait est généralement valable, sauf dans le cas où un enfant s'endort régulièrement dans le vacarme (devant le téléviseur entre autres) ; sa capacité d'endormissement sera alors associée au bruit.

RACONTE-MOI COMMENT TU T'ENDORS...
... et je pourrai peut-être te dire pourquoi tu te réveilles...

Il existe un lien entre la façon dont un bébé s'endort et les réveils normaux – dont il a été question au chapitre précédent. La logique du rapport endormissement/réveil est d'une simplicité déconcertante. Pour comprendre ce processus, prenons l'exemple d'un adulte habitué à s'endormir avec un oreiller[12]. Supposons que vous ayez besoin d'un oreiller pour vous prédisposer adéquatement au sommeil et pour bien dormir. Si, lors d'un réveil nocturne normal, vous réalisez que vous ne l'avez plus, vous le chercherez, le ramasserez et vous vous rendormirez ; toutefois, si vous ne le trouvez pas, vous ne vous rendormirez pas avant de ne l'avoir trouvé. Évidemment, tout cela dépend de l'importance que l'oreiller occupe dans les facteurs facilitant votre sommeil. C'est pareil pour le bébé qui, dès la naissance, a certaines habitudes pour s'endormir : se faire promener ou bercer, prendre une sucette, etc. ; il risque de les rechercher pour être capable de se rendormir. Mais comparativement à l'exemple de l'adulte, **lorsque l'enfant a un réveil normal, il ne peut pas reproduire ses conditions d'endormissement seul ; il a besoin de vous, de sa sucette, de son biberon*, etc.**

> Ainsi, le problème n'est pas *celui d'éveils anormaux*, mais celui d'*une difficulté à s'endormir*, et ces difficultés viennent des associations particulières de l'enfant avec l'endormissement[13].

Lorsqu'un bébé ne réussit pas à dormir pendant une longue période nocturne sans se réveiller et pleurer, il faut donc regarder en premier lieu comment se fait l'endormissement.

---

* En s'abstenant de coucher un bébé avec un biberon de lait, de formule lactée ou de jus, on évite en plus la « carie du biberon ». La salive étant réduite durant la nuit, le sucre ou les résidus collent plus facilement aux dents. De même, on évite que ces liquides atteignent certains conduits de l'oreille et que des risques d'infection s'ensuivent.

Quels gestes et quelle ambiance entourent le sommeil ? Le bébé est-il bercé, allaité jusqu'au moment où il atteint un sommeil profond ou s'endort-il seul dans son lit ? Si le bébé se réveille la nuit et qu'on doit prendre *les mêmes dispositions qu'au coucher* pour le rendormir, il cherche l'atmosphère qui l'a incité au sommeil. Il faut alors déconditionner ce bébé – qui n'a jamais appris à s'endormir seul – de certaines habitudes et lui donner de nouvelles associations au sommeil. Dorénavant, on le préparera dans une ambiance plus simple où il n'y aura pas d'aide extérieure pour l'assoupir. Cette ambiance se résume à deux mots : « s'endormir seul » afin de mieux pouvoir se « rendormir seul ». Ce rapport est fondamental : il explique l'échec des parents qui, après avoir laissé pleurer leur enfant un certain temps, finissent par s'en occuper jusqu'à ce qu'il se rendorme. « [Ce] n'est pas le fait de pleurer qui aide, mais d'apprendre à s'endormir dans de nouvelles conditions[14] ».

Les enfants bercés, allaités et nourris avant de se coucher n'ont cependant pas tous des problèmes de sommeil, cela dépend des tempéraments et du fait que le bébé s'endorme ou non pendant ces moments. Enfin, pour prévenir, il s'agit de prodiguer ces soins privilégiés au bon moment – plus tôt en soirée ou plus tôt avant les siestes – et de déposer le bébé *éveillé* dans son berceau. Au début, il peut pleurer, car *il a connaissance de cette séparation,* mais une attitude ferme et affectueuse l'aidera à assumer seul ses premières expériences de solitude. Avec le bébé plus âgé qui n'a pas appris à le faire, il faudra plus ou moins de patience et de persévérance aux parents afin de l'aider à acquérir de nouvelles habitudes. Si nécessaires, la « méthode progressive » et la « fermeté douce » leur seront utiles (V. chap. 2).

Certains auteurs proposent d'offrir un ***objet transitionnel*** au bébé afin de faciliter le moment du dodo. Il s'agit généralement d'une couverture (parfois imprégnée de l'odeur parentale) ou d'un animal en peluche : source de sécurité et de réconfort comparable à la chaleur des parents. Cet objet remplit le vide laissé par des séparations plus ou moins prononcées.

Même si l'adoption d'une « doudou » est considérée utile par plusieurs spécialistes, soulignons que la relation parent-enfant *compte avant tout* et qu'on doit la privilégier aux contacts objet-enfant. « [Rester] avec [le bébé], le nourrir ou le bercer, être tenu, câliné ou caressé par lui, le laisser nous tortiller les cheveux [alors] il ne prendra jamais d'objet transitionnel parce qu'il n'en aura pas besoin[15] ». Favoriser les rapprochements humains n'empêche pas l'enfant d'adopter un jouet préféré, mais... lorsque ce sont les parents qui lui en donnent l'habitude, n'oublions pas que cette manie peut devenir un problème lors de fâcheux oublis... L'enfant peut avoir de la difficulté à s'endormir ou à bien fonctionner sans sa « doudou ».

Une fillette de 4 ans avait pris l'habitude de sucer une couche de coton. Elle la gardait près d'elle jour et nuit, la suçait, s'y blottissait et s'y frottait. Un jour, lors d'un voyage en voiture, elle oublie son chiffon tant caressé. Sa mère lui offre un mouchoir tout propre et bien plié. L'enfant le prend,

> tout en suçant son pouce, le met sous son nez (...) À ce moment son visage se rembrunit et elle rend à sa mère le mouchoir à peine déplié en lui disant avec un regard de reproche : Tu ne sens plus la bonne maman[16].

Selon les circonstances et l'attitude parentale, un enfant prendra temporairement un objet transitionnel, tandis qu'un autre le choisira en permanence et ne le délaissera qu'à 4-5 ans, parfois même à 6 ou 7 ans[17].

LA SUCCION DU POUCE ET LES RITUELS RYTHMIQUES

Certains enfants adoptent au moment du coucher des gestes routiniers qu'ils répètent durant le jour. Le plus fréquent est certainement la succion du pouce. Cette habitude suscite des réactions variées, de l'indifférence à l'inquiétude. Nous essayerons de mieux comprendre sa signification dans la vie de l'enfant et du parent.

Il y a **deux facteurs à considérer dans la succion du pouce.**

Le premier est l'aspect naturel du geste ; il incite certains parents à ne pas s'inquiéter ni à s'interroger. « [Dès] sa dix-huitième semaine, le fœtus peut sucer son pouce[18] ». On dit que « 80 % des enfants sucent leur pouce dans les premiers jours

qui suivent leur naissance et que ce comportement est parfaite-
ment physiologique et normal[19] ». Ce geste deviendra fréquent
chez certains ; il sera accidentel chez d'autres.

> Parmi les enfants qui *suçaient* leur doigt à la naissance, un peu
> plus de la moitié abandonnent cette activité au cours des deux
> premières années de leur existence, puis un quart encore avant
> la cinquième ou sixième année. (...) [Les] enfants qui n'ont pas
> sucé leur doigt durant les premiers mois de la vie ne le feront
> probablement jamais, mais (...) d'autres qui abandonnent préco-
> cement cette habitude, ou qui s'y adonnent discrètement, peu-
> vent la voir réapparaître avec une intensité accrue en certaines
> circonstances où leur vie affective est perturbée[20].

Le deuxième facteur est le sens caché derrière le geste. Si,
dans un premier temps, cette manie n'inquiète pas, généralement, plus l'enfant vieillit, plus on souhaite la voir disparaître.
Avec l'âge, les questions s'accumulent et les malaises peuvent
survenir.

Mentionnons d'abord l'aspect sécurisant du geste : « [cette]
succion (...) ramène l'enfant, pour un moment, dans un univers rassurant, paisible, protégé...[21] »

> *Ce geste apporte une satisfaction et un effet calmant qui prédisposent au sommeil. Toutefois, en vieillissant, il peut devenir une échappatoire par laquelle l'enfant s'isole de certains stress extérieurs.*

Le pouce offre une source de sécurité à la portée de la main,
c'est le cas de le dire ! Dans un premier temps, il est bon de
vérifier dans quel climat la succion a lieu. Est-elle associée à des
moments de frustration, d'ennui ? Est-elle liée à des moments
privilégiés où elle renforce le plaisir ? Par exemple, en regardant un spectacle ou pendant une lecture agréable. Est-elle régulière ? En observant l'ambiance dans laquelle la succion du
pouce a lieu, l'état qu'elle procure à l'enfant, de même que sa

fréquence, nous sommes plus en mesure de décider de la valeur et du choix d'une intervention.

J'ai toujours été sensible à l'enfant plus âgé qui suce son pouce. J'ai remarqué qu'il le faisait généralement dans des moments d'ennui, de timidité ou d'émotivité. Spontanément, je suis portée à m'occuper de cet enfant et à communiquer avec lui parce que son geste l'isole. Ce sentiment est partagé par certains auteurs. Au sujet de l'enfant qui suce fréquemment son pouce en vieillissant, on a écrit que « ce comportement compense (...) [l'enfant] essaie de se consoler tout seul. En se mettant à sucer son pouce, il entend couper le contact avec les autres et se retirer en lui-même. Les enfants qui éprouvent un besoin excessif de sucer leur pouce sont souvent trop livrés à eux-mêmes[22] ». On mentionne également que la succion du pouce survient « dans les moments de fatigue et d'anxiété (...) chez des enfants que la maladie ou des nécessités sociales ont isolés du cadre familial[23] ».

Les auteurs traitant de la succion du pouce s'entendent sur la normalité du geste, en autant qu'il ne ramène pas constamment l'enfant à s'isoler du monde extérieur. Le petit se retire lorsqu'il se cache derrière son pouce ; plutôt que de réagir directement à une situation, il suce. *Le pouce devient alors une solution inadaptée à la réalité.* « [La] succion disparaîtra en même temps que s'affermira l'adaptation aux stress et la résistance à la frustration[24] ». Une première étape de l'adaptation aux stress est de permettre à l'enfant d'exprimer ses émotions. On peut favoriser la décharge émotionnelle en l'encourageant, par exemple, à se libérer par les pleurs plutôt que de les refouler et de recourir au pouce. « On peut interpréter le fait de sucer le pouce de manière prolongée comme un moyen qu'emploie l'enfant pour retenir ses pleurs dans un environnement qui ne comprend pas son besoin de pleurer[25] ».

Tout en favorisant l'extériorisation des sentiments de l'enfant*, il est bon de le diriger vers des pairs, de lui suggérer des occupations, de le soutenir pour qu'il s'ouvre « toujours plus largement vers le monde extérieur, selon son style propre[26] ».

---

*   Des moyens d'expression seront proposés dans : « Pas très chouette de s'endormir à l'heure des chouettes », chap. 6.

L'encourager sans le forcer, c'est respecter son rythme et sa personnalité*. De même, valoriser son sens de l'autonomie et des responsabilités aidera l'enfant à prendre de l'assurance.

> *En s'attardant discrètement à l'enfant suceur, on évite de lui faire des reproches et de mettre trop d'emphase sur cette situation.*

Lorsque l'enfant suce son pouce, on peut lui proposer subtilement autre chose, sans insister, mais persévérer. Par exemple, s'il le fait en regardant la télévision, on peut prendre délicatement sa main et profiter de cette occasion pour remplacer le sucement par un contact parental. En répétant les interventions qui favorisent les contacts et l'expression, on offre une aide transitoire. Graduellement, le réflexe de succion associé à certaines situations sera remplacé par de nouvelles attitudes et par une force intérieure que l'enfant développera. Mais pour y arriver, il a parfois besoin d'un petit coup de pouce...

Par ses observations et son intuition, le parent peut apprendre à décoder la signification du comportement de son petit. L'adulte qui en parle avec l'enfant plus âgé peut l'aider à identifier ses besoins afin qu'il en vienne à se corriger par lui-même – si ce dernier le souhaite ! De plus, les remarques et les contacts avec les autres peuvent stimuler l'enfant à se maîtriser. On peut, par exemple, profiter d'une visite chez le dentiste pour lui présenter des cas d'enfants dont les dents ont poussé vers l'avant à la suite d'une succion prolongée. Enfin, l'approche basée sur l'observation et la communication permet, à l'opposé des méthodes drastiques, de mieux connaître l'enfant et de mieux intervenir.

---

*   Pour le parent qui a des problèmes d'expression, il lui est plus facile de comprendre son petit. Il peut toutefois lui être pénible d'encourager son enfant à faire ce qu'il a lui-même de la difficulté à réaliser. L'adulte a le choix de saisir ou non cette occasion pour repousser ses limites tout en guidant son protégé.

Parallèlement à cette démarche, on peut lui offrir davantage d'expériences tactiles : pâte à modeler, peinture aux doigts, terre glaise, etc.

Voyons maintenant du côté des **rituels rythmiques**. Ils englobent les manies et les gestes répétés avec régularité. On peut les retrouver durant le jour, mais principalement à l'heure du coucher. Certains d'entre eux sont plus impressionnants et inquiètent les parents.

Voici quelques rituels rythmiques observés chez les enfants :

— Tourner une mèche de cheveux.

— Balancer la tête ou la frapper sur les montants du lit, parfois assez fort.

— Tout mouvement cadencé d'une partie ou du corps en entier.

Ces comportements peuvent se manifester quotidiennement – à l'heure du coucher, après un réveil nocturne, au réveil – ou à intervalles : lors des étapes de transition où l'insécurité et l'inquiétude surviennent. La plupart de ces habitudes ont un rapport avec le rythme et ce n'est pas un hasard.

> Le rythme est le principe fondamental de toute vie. (...) Les mouvements exercent, sur l'enfant surtout, une action calmante. Ils introduisent ordre et régularité dans la vie. Cela explique le goût de l'enfant pour les jeux rythmiques : balançoire, escarpolette, cheval de bois, ainsi que pour les chansons et les vers rythmés[27].

Les gestes répétitifs ayant un effet calmant, ils prédisposent au sommeil et, comme la succion du pouce, ils semblent ramener l'enfant dans une ambiance de bien-être et de sécurité. Rappelons que l'heure du coucher représente un moment de séparation ; le rituel rythmique peut alors absorber une certaine anxiété. Pendant que l'enfant se concentre sur le mouvement, il oublie le reste et finit par s'endormir.

Pour prévenir ou transformer ces attitudes, il importe de **vivre un bon rituel du coucher et d'échanger avec lui au cours de la journée, tant sur le plan verbal que corporel** (l'étreindre, le bercer, le porter dans ses bras, lui offrir des jeux à mouvements réguliers, lui faire écouter de la musique, etc.).

Les rituels rythmiques accentués et fréquents peuvent compenser un manque. Ils proviennent parfois d'une insuffisance d'activités physiques : l'enfant est privé d'occasions pour bouger, se balancer, et se défouler. Voici ce qu'on a noté chez des éléphants : « (...) si l'on enferme ces animaux dans un espace réduit, on peut observer qu'ils adoptent un mouvement rythmique de la tête et même du corps tout entier[28] ». On n'insistera jamais trop sur l'importance de **laisser les enfants bouger, ramper, grimper, courir et explorer** de grandes surfaces. Un peu partout, on retrouve des parcs et des lieux où ils peuvent s'ébattre joyeusement et satisfaire quotidiennement leur besoin rythmique.

Il est possible qu'une absence de cohérence et de continuité dans l'éducation porte l'enfant à rechercher l'ordre dans un geste cadencé. Le parent à la fois trop sévère et trop mou ne procure pas la sécurité nécessaire. Les rituels rythmiques peuvent aussi offrir un moyen de relâcher des tensions. Ils deviennent une soupape d'échappement lors de situations anxiogènes : séparation, divorce, maladie, exigences excessives qui pèsent sur l'enfant : être « sage comme une image », par exemple.

Les rituels rythmiques peuvent aussi être une façon d'attirer l'attention parentale. Il convient alors d'ignorer l'enfant *au moment où il s'y adonne*, mais de lui **accorder davantage de temps au cours de la journée pour parler et échanger sur ce qui peut le préoccuper.** Cela signifie parfois lui laisser exprimer sa colère ou sa peine.

Par ailleurs, si l'on a toujours distrait un bébé qui pleurait en le faisant sauter, bondir, balancer, etc., ce dernier, en vieillissant, recherchera peut-être le mouvement pour se consoler[29]. Dans ce cas, le rituel rythmique devient un « automatisme de contrôle » (V. « Les pleurs », chap. 2).

Enfin, **on recommande, dans certains cas, de retirer le matelas et de le poser par terre,** au centre de la chambre. On évite ainsi que le petit se frappe la tête contre les barreaux du lit ou le mur. Lorsque la situation inquiète le parent ou qu'elle ne s'améliore pas, il devient important de **consulter** auprès d'un spécialiste de la santé.

FAIS-MOI VISITER TA CHAMBRE

LA DÉCORATION ET LE CHOIX DES COULEURS...

Petite ou grande, pour qu'une chambre à coucher soit bien harmonisée : inspirante, accueillante et reposante, nul besoin de faire des achats dispendieux. Un peu d'imagination, de bon goût et d'habileté réaliseront un aménagement personnalisé. Le choix des couleurs, la disposition des meubles et la décoration, si simple soit-elle, en feront un lieu agréable*.

Les couleurs choisies pour peindre la chambre à coucher jouent un rôle important dans l'établissement d'une ambiance paisible. Pourquoi ? Parce que les couleurs nous influencent. Le bleu du ciel, le vert des prairies, le rouge de la fleur, l'orangé du soleil couchant, chacune de ces couleurs nous touche différemment. On se sert d'ailleurs des propriétés thérapeutiques des couleurs pour soigner diverses affections ; cette pratique s'appelle la chromothérapie.

Les couleurs apaisantes sont surtout le bleu et le vert, alors que le jaune, l'orange et le rouge sont des couleurs stimulantes. Les divers degrés dans les tons ont des effets différents. Il s'agit de doser son choix en fonction de l'effet souhaité, dans notre cas, de préférer les tons doux aux tons éclatants. La couleur des accessoires – rideaux, stores, murales, lampes, etc. – peut apporter une note plus criarde. Aussi, l'utilisation d'ampoules de couleurs agrémente et complète l'ambiance**.

L'ÉCLAIRAGE, L'AÉRATION ET CERTAINS ÉLÉMENTS INDÉSIRABLES...

Rappelons que l'obscurité fait partie des conditions protégeant le sommeil, même si une veilleuse peut s'avérer pratique dans certaines situations. Au début,

---

* Évidemment, petit bébé deviendra grand et la chambre à coucher sera transformée – chambardée parfois – avec les années. Elle prendra tantôt les tons de l'enfance, tantôt l'allure de l'adolescence... Ce lieu deviendra alors un endroit dans lequel les parents interviendront de moins en moins, respectant l'intimité et l'expression du jeune.

** Divers volumes sur le marché traitent de l'action bienfaisante des couleurs.

[dans] les 3 premiers mois, la perception visuelle, comme la perception auditive, a un seuil très élevé. Aussi l'enfant dort-il presqu'aussi facilement dans la lumière que dans l'obscurité. Progressivement, (...) il aura plus de mal à dormir à la lumière et à partir de 1 an, il ne pourra guère faire de bonnes siestes que si on le met dans une pièce sombre. Bien des suppressions de la sieste et bien des réveils à l'aube sont liés à une lumière trop vive[30].

On ne pense pas toujours à des facteurs aussi simples. La circulation de l'air en est un autre. L'air qu'on ne renouvelle pas se vicie. (Entre autres, par la présence ou la simple odeur de la fumée de tabac, de certains parfums et de fixatifs à cheveux.) On a donc intérêt à faire dormir l'enfant dans une chambre où la fenêtre est ouverte ou d'aérer avant l'heure du coucher. L'hiver, il est bon de ventiler régulièrement. On peut négliger ce facteur essentiel de bien-être parce qu'il paraît insignifiant ; pourtant, il est à la portée de tous. Les constructions modernes, étant beaucoup mieux isolées qu'autrefois, « respirent » moins bien. L'idéal dans ces cas serait de prévoir, lorsque c'est possible, l'installation d'un système d'échangeur d'air.

Un autre facteur joue un rôle prépondérant dans la qualité de l'air ambiant et du sommeil : le taux d'humidité. Si ce dernier est trop bas, il peut occasionner des problèmes chez les petits au système respiratoire plus fragile. On reparlera de cet aspect dans « L'enfant et la maladie » (chap. 7). Notons aussi que plus on utilise de tapis sur de grandes surfaces, plus ils assèchent l'air, accumulent les poussières et contribuent aux malaises de la respiration.

Par ailleurs, on entend de plus en plus parler de l'influence néfaste des champs électro-magnétiques émis par les appareils électriques dans nos maisons.

En fait, il n'est pas prudent de dormir à quelques centimètres d'un appareil électrique, que ce soit une horloge, un radio-réveil [sic], un ventilateur, un climatiseur ou une plinthe électrique[31].

Une façon de minimiser les effets nuisibles causés par la proximité d'une plinthe électrique est de baisser la température au cours de la nuit et de chauffer la chambre lorsque l'enfant n'y est pas. D'ailleurs, la majorité des gens ont tendance à surchauffer. Il est pourtant préférable de vêtir chaudement le bébé afin de lui permettre de dormir « la tête au frais, le cœur et les pieds au chaud » ; on suggère généralement pas plus de 18 degrés Celsius.

Aussi, dans le magazine *Coup de pouce* (octobre 1992), un article intitulé : « Électricité et santé, mieux se protéger » traite de la question des lignes de distribution d'électricité présentes dans les murs des immeubles lorsqu'il n'y a pas de fils électriques dans les environs. On y dit ceci :

> Comme les champs magnétiques passent à travers la pierre, le béton et le plâtre, il serait prudent d'éloigner les meubles (et surtout le lit de bébé) des murs où courent les lignes principales. Pour savoir où passent ces lignes, on peut consulter les plans de l'immeuble[32].

LE LIT, LA LITERIE ET LES VÊTEMENTS DE NUIT...

Avez-vous déjà entendu dire qu'il est préférable de dormir la tête au nord ? J'ai lu, à quelques reprises, que l'écrivain anglais Charles Dickens, lors de ses séjours dans des chambres d'hôtel, se pressait à sortir sa boussole et à déplacer l'ameublement de façon à dormir la tête au nord.

> La tradition respecte les instincts et enseigne, *à l'exemple du nouveau-né qui le trouve tout seul,* que la meilleure nidation s'oriente favorablement dans l'axe du champ magnétique, tête au nord, pieds au sud[33].

À nous de le vérifier*.

En ce qui concerne la position de sommeil recommandée pour réduire le risque de mort subite du nourrisson, on préconise maintenant de coucher le nouveau-né sur le dos. Santé Canada a produit un dépliant d'après des recherches récentes qui s'intitule « Dodo sur le dos ! ». On souligne toutefois la nécessité d'installer le petit sur le ventre pour de courtes périodes, lorsqu'il ne dort pas et qu'il est sous surveillance. De plus, il n'est pas nécessaire de le forcer à dormir sur le dos lorsque

---

*   J'ai remarqué que notre fils – lorsqu'il était petit – se plaçait souvent en diagonale dans son lit lorsque ce dernier n'était pas nord-sud.

son état de santé exige le contraire ou lorsqu'il se retourne de lui-même sur le ventre.

Dans le choix d'un lit, il y a des normes importantes à vérifier et à respecter afin de faire du lieu de sommeil de l'enfant un *nid sécuritaire*. Le bébé passe beaucoup d'heures dans son lit. Offrons-lui un environnement sûr. Les lits d'enfants fabriqués avant septembre 1986 sont considérés dangereux. Dans un document reproductible de Santé Canada (« La sécurité des lits d'enfant », mars 1998), on y retrouve textuellement les conseils de sécurité qui suivent.

Le lit d'enfant :

– Vérifiez le lit d'enfant afin de vous assurer que le cadre du lit est solide. Serrez les vis régulièrement.

– Vérifiez et assurez-vous qu'une fois remontés, les côtés restent bien enclenchés.

Le matelas :

– Le matelas doit être bien ajusté aux quatre côtés du lit.

– Remplacez le matelas s'il est trop mou ou trop usé.

– Placez le matelas au plus bas niveau du lit, aussitôt que le bébé peut s'asseoir.

La sécurité du bébé :

– Enclenchez bien les côtés, après avoir placé le bébé dans le lit.

– Lorsque vous couchez le bébé dans le lit, ne l'attachez jamais et ne lui mettez pas de collier ou de sucette attachée à une corde autour du cou.

– Ne placez pas le lit près d'une fenêtre, des cordons d'un rideau ou d'un store, d'une lampe, des prises électriques et des rallonges électriques.

– Enlevez le contour coussiné et les gros jouets du lit, aussitôt que le bébé peut s'asseoir.*

---

*   Santé Canada offre plusieurs documents gratuits concernant la sécurité des objets usuels tels que les lits d'enfant, lits superposés, cordons de stores et de rideaux, vêtements de nuit, parcs, barrières de sécurité, poussettes, etc. Vous trouverez le bureau desservant votre région en regardant dans l'annuaire sous : Santé Canada, Direction Générale de la protection de la santé et en demandant le bureau de la sécurité des produits de consommation.

Pour faire du lit un nid douillet et accueillant, il est nécessaire qu'il soit ni trop petit ni trop grand. Comme l'animal aime se blottir dans des espaces étroits, le bébé, dès qu'il sait ramper, aime se blottir dans un coin de son lit parce qu'il se sent entouré, enveloppé comme il l'était dans le ventre de sa mère. D'ailleurs, jusqu'à un certain âge, la plupart des nouveaux-nés apprécient d'être bien emmaillotés.

> Des expériences montrent que les nourrissons emmaillotés du deuxième au cinquième jour restent plus calmes et présentent un pouls moins élevé, pendant des situations de stress, que ceux qui ne l'avaient pas été (Lipton et coll., 1960). (...) [Toutefois, la] liberté de mouvement est un besoin fondamental (...). Il faut arrêter d'emmailloter un enfant quand il ne le veut plus, et aucun enfant normal et venu à terme ne doit être emmailloté serré après l'âge de trois semaines[34].

Dans le choix des couvertures, il est habituellement conseillé de choisir celles qui associent légèreté et chaleur, laissant bien circuler l'air. Mais ce domaine répond à des besoins très personnels et particuliers à chacun. Et quoique vous fassiez, certains enfants ne gardent pas leurs couvertures ; on doit alors les vêtir plus chaudement. Une mère me racontait qu'elle enfilait un deuxième « pyjama à pattes » à son petit qui se découvrait facilement la nuit.

Les vêtements de nuit ont, pour leur part, avantage à être ni trop grands, ni trop serrés ; juste assez pour permettre l'aisance adéquate. Les fibres naturelles laissent mieux circuler l'air et favorisent la respiration cutanée. Cependant, ces tissus s'enflamment plus facilement et davantage si le vêtement est ample. On doit nécessairement augmenter la surveillance lorsque l'enfant circule près des sources de chaleur. Une autre mesure de sécurité est d'éviter de le vêtir avec des pyjamas pourvus de cordons car ces derniers comportent des risques d'étranglement.

CHAPITRE 6

REMETTONS LES PENDULES À L'HEURE*

VOTRE NOUVEAU-NÉ PREND-IL LA NUIT POUR LE JOUR ?

Que fait-on avec un bébé enjoué la nuit et somnolent le jour ? Doit-on lui faire faire « la bascule » ? Dans de tels cas, l'intervention des parents est capitale ; il faut aider le bébé ou l'enfant à retrouver un rythme normal, car **il a un rythme, mais il est déréglé.**

Durant le jour, il s'agit de stimuler l'enfant s'il s'endort au mauvais moment et de le réveiller s'il dort trop. Cette démarche exigeante n'apporte pas de résultats instantanés. Son efficacité dépend des actions graduelles et persévérantes du parent (« méthode progressive », chap. 2). Il répétera ces interventions jusqu'à ce que le besoin de dormir du bébé se fasse au moment opportun. L'aide d'un proche est généralement très appréciée, sinon nécessaire.

Durant la nuit, il convient de ne rien laisser à la portée de l'enfant qui pourrait le stimuler ou le garder éveillé : jeux, lumières, etc. (Une faible veilleuse peut être tolérée dans certains cas.) Si on doit rassurer le petit, le faire brièvement.

Selon la gravité du décalage, on prendra plus ou moins de temps avant d'obtenir une situation normale. Rappelons-nous, cette démarche demande beaucoup de patience, mais elle est efficace (V. le témoignage : « Je grandis avec mes enfants », chap. 3).

---

* Certaines approches, dans ce chapitre, s'inspirent du volume du Dr Ferber : *Protégez le sommeil de votre enfant*, éd. ESF, 1990, en particulier lorsqu'on fait appel à la « méthode progressive ».

Par ailleurs, lorsque le rythme veille/sommeil est perturbé chez un enfant plus âgé, il est possible que des habitudes irrégulières en soient la cause. On verra alors à rétablir progressivement un horaire régulier pour les repas, les siestes, les couchers et les levers.

VOTRE PETIT EST-IL LE COQ DE LA MAISON ?

Il peut y avoir différentes raisons reliées à un réveil matinal hâtif. Voyons, parmi les situations suivantes, laquelle pourrait correspondre à votre petit coq ?

Sommeil nocturne insuffisant / siestes trop longues :

Avant de conclure que notre petit est une alouette ou un coq, il est bon de regarder la répartition de ses heures de sommeil au cours du jour et de la nuit. Il peut arriver qu'un enfant totalise des heures de sommeil normales, mais que ses siestes soient trop longues et ses nuits trop courtes.

Sieste du matin trop rapprochée du réveil :

L'enfant n'a peut-être pas terminé son dernier cycle de sommeil. Il convient alors « d'étirer » les réveils et d'éloigner l'heure de la sieste : le faire attendre 10-15 minutes au réveil pendant quelques jours et reporter ainsi graduellement l'heure de la sieste (méthode progressive, chap. 2).

Introduction d'un boire matinal plus tôt qu'à l'accoutumée :

Il suffit d'un matin où le boire est donné plus tôt pour que le petit en prenne l'habitude. Une amie m'a raconté son expérience. Sa fille, alors âgée d'un an et demi, se réveille plus tôt et on va aussitôt la voir. Au bout de quelques semaines, alors que cette mère est à l'hôpital pour l'accouchement de son troisième enfant, la petite développe une autre habitude. Le père, pensant bien faire, lui apporte son jus au lit, plutôt qu'après son lever. Par la suite, elle veut son breuvage de plus en plus tôt : sept heures, six heures, cinq heures, etc. Les voilà maintenant avec une enfant qui se réveille deux à trois fois par nuit. Les parents décident alors d'aller voir la petite lorsqu'elle les appelle, sans toutefois lui donner du jus ; allongeant progressivement le temps entre chaque visite. On lui répète simplement qu'il faut dormir et qu'elle aura son breuvage au matin, mais pas dans le lit. Au bout d'environ trois jours, c'en est fini des réveils la nuit.

Émission télévisée :

L'enfant plus vieux peut se réveiller pour une émission matinale qu'il aime regarder. Dans ce cas, il s'agit de déterminer une heure raisonnable pour ouvrir le téléviseur. (L'enregistrement sur magnétoscope peut offrir un compromis dans certaines situations.) N'ayant plus de raison de se lever tôt, l'enfant commencera à s'éveiller plus tard. Je l'ai expérimenté lorsque mon fils était petit et la situation s'est vite améliorée.

Bruit et clarté :

Certains enfants sont plus sensibles au bruit et à la clarté. Si une situation bruyante inhabituelle se répète (ex. : un membre de la famille qui se lève plus tôt, des travaux dans la rue, etc.), elle peut engendrer un nouveau rythme. Les solutions pour résoudre les problèmes reliés au bruit ne sont pas très nombreuses. On peut d'abord essayer de coucher l'enfant dans une chambre éloignée de la source dérangeante, si c'est facilement réalisable. Sinon, ou lorsqu'on n'a aucune façon de contrôler l'origine du bruit, il est nécessaire d'informer l'enfant de la situation et « en principe » une fois rassuré, il devrait finir par s'y habituer. Auprès des petits, l'intervention se résume à les sécuriser. L'utilisation d'un son répétitif – bruit de fond – peut parfois aider à neutraliser l'environnement sonore. Par exemple, le son de l'humidificateur ou du ventilateur.

Beaucoup d'enfants s'éveillent plus tôt au printemps ; une fois l'heure avancée, le tout revient à la normale. On peut éviter les désagréments de cette situation passagère en utilisant une toile plus épaisse ou en ajoutant, à chaque soir, un drap opaque à la fenêtre.

Avance de la phase de sommeil :

Dans ce cas, l'enfant a un rythme régulier, mais **tout son horaire se déroule trop tôt**. Il s'endort, se lève, mange et fait ses siestes à des heures hâtives. Il faut alors tout changer progressivement. Si on décale de 10 minutes/jour, on gagne environ 1 heure/semaine. Le temps nécessaire pour progresser importe peu ; la réussite dépend surtout de la persévérance des parents.

Finalement, avant de classer une situation, il importe de s'assurer, pour le bien-être de l'enfant et sa santé, qu'il ne manque pas de sommeil. Son humeur et son comportement durant le jour nous donnent des indices à ce sujet. Seulement après cette vérification, on peut conclure qu'on a affaire à un petit dormeur. On doit alors patiemment s'adapter à un rythme matinal hâtif – si ce n'est déjà fait – tout en lui enseignant que les membres de la famille ne sont pas nécessairement tous des coqs. Il apprendra alors à s'occuper calmement par lui-même jusqu'à une heure déterminée raisonnable pour tous.

PAS TRÈS CHOUETTE DE S'ENDORMIR À L'HEURE DES CHOUETTES !

Certains enfants ne s'endorment qu'une heure après le temps du coucher considéré raisonnable. Ces moments peuvent s'avérer des temps de disputes et de discussions interminables. Voyons les principaux facteurs à considérer dans de telles situations.

Sieste de l'après-midi trop tardive :

Elle peut empêcher le sommeil au moment propice. Il convient alors d'avancer l'heure des siestes quotidiennes. En agissant progressivement (ex. : 15 min/jour), on obtiendra les résultats voulus.

Siestes trop nombreuses :

Vérifiez si l'enfant a besoin d'une seule sieste quotidienne (entre 1-2 ans). Réduire la durée de la sieste restante peut aussi suffire, à moins qu'elle ne soit plus nécessaire (généralement entre 3-5 ans). Lorsqu'il y a lieu, ces interventions demandent une collaboration étroite avec le milieu de garde.

Retrait *prématuré* d'une sieste :

Dans certains cas, réduire le sommeil diurne d'un enfant en pensant qu'il s'endormira mieux le soir aggravera la situation. En enlevant prématurément une sieste, il peut devenir surexcité, irritable et combattre l'endormissement même s'il manque de sommeil. « [Il] a du mal à se détendre à l'heure du coucher, lutte contre le sommeil et reste éveillé trop longtemps. Même s'il s'endort rapidement, l'enfant trop fatigué peut augmenter ses réveils nocturnes[1] ».

Heure du coucher trop précoce :

On peut coucher un enfant tôt afin d'avoir davantage de temps pour soi ; il faut cependant être réaliste !

Retard de phase du sommeil de l'enfant :

Il s'endort et se réveille naturellement tard. **Ses heures de sommeil sont suffisantes, mais son rythme est retardé**. Il suffit de peu parfois pour qu'une heure de coucher se décale.

Le docteur Ferber (auteur de *Protégez le sommeil de votre enfant*) recommande de commencer par lever l'enfant plus tôt avant d'avancer son heure de coucher (15 minutes/jour ou 15 minutes/2 jours). En manquant un peu de sommeil (entre 30 minutes et 1 heure selon l'âge), il lui sera plus facile de se coucher plus tôt. Après quelques jours de lever hâtif, on avance graduellement l'heure du coucher, jusqu'à l'heure désirée. L'important est de garder un rituel intéressant afin de décaler agréablement le moment du dodo. Il est nécessaire aussi de veiller à ce que le jeune enfant ne reprenne pas son sommeil durant la sieste ; sinon, il continuera à se coucher tard. De même, l'écolier qui s'endort tard a avantage à être réveillé plus tôt la fin de semaine afin de ne pas récupérer. J'avoue que cette solution est parfois difficile à appliquer... Elle s'adresse surtout aux cas dont les retards sont fréquents et sérieux.

Il est possible que certains enfants fonctionnent mieux tard dans la journée ; ce sont des « chouettes ». Ces types de dormeur ont facilement des retards de phase. Toutefois, il est préférable de les aider à améliorer leur rythme, car ils devront, un jour ou l'autre, s'adapter à un horaire plus hâtif : la rentrée scolaire par exemple.

Enfin, l'horaire des parents influence celui des enfants. Certains préfèrent que les enfants se couchent et se lèvent tard, car ils le font eux-mêmes ; pour d'autres, c'est le contraire. Cependant, **on ne peut pas gagner aux deux bouts : espérer que l'enfant se couche tôt et se lève tard !**

Manque d'un rituel agréable :

Prenons l'exemple d'un parent souvent absent qui prend rarement le temps de s'arrêter avec ses enfants. Le jeune se lève constamment et attire l'attention de la personne qu'il aime pour passer plus de temps avec elle. En « lisant entre les lignes », le parent pourra trouver une façon de combler les besoins indirectement exprimés. Sans en faire un long cérémonial, réserver du temps à l'enfant avant son sommeil lui sera bénéfique. Puisque ce moment se vit souvent en petite quantité, il se doit d'autant plus d'être d'une grande qualité. Il s'agit de privilégier les regards profonds, les paroles gratifiantes (les déclarations d'amour, les « Bravo ! », « T'es un champion ! », etc.), de même que les gestes doux qui cajolent le corps et l'âme. Il faut toutefois, à moyen terme, envisager d'accorder davantage de temps à l'enfant au lever, durant le jour ou en soirée, selon les disponibilités.

Passage de la couchette au lit et l'angoisse de la séparation :

« L'avènement du grand lit » permet à certains enfants qui aiment tout simplement « étirer le bon temps » ou qui sont plus anxieux de retarder l'heure du dodo. Rappelons qu'**un rituel du coucher agréable** (chap. 5) **et une fermeté douce** (chap. 2) **sont** *des incontournables* lorsqu'arrive le moment de dire « Bonne nuit ! ».

<u>L'enfant qui cherche à remplacer le *point final* par une *longue parenthèse*</u>, (pipi, soif, oublis, etc.), peut le faire parce qu'il

craint le moment de la séparation. **Un encadrement et des préliminaires bien spécifiques** suffisent parfois à rendre cette coupure passagère plus acceptable. Le fait de **laisser l'enfant « prendre des décisions »** lors de ce passage du jour à la nuit, qu'il doit *subir*, peut diminuer son sentiment d'impuissance et d'insécurité. Lui laisser choisir son pyjama, son livre d'histoire ou sa cassette parmi une sélection proposée par le parent en sont des exemples.

L'utilisation de petits **trucs annonçant l'heure de se mettre au lit** tels que programmer l'horloge, se servir d'un sablier, etc. rend la tâche moins directive pour le parent. C'est la sonnerie ou le dernier grain de sable qui annonce l'heure du dodo. L'enfant plus vieux peut aussi « voir » le temps qu'il lui reste et mieux se situer dans le temps.

Lorsque les petits trucs ne suffisent pas, on peut apprendre à l'enfant à rester dans son lit en recourant à **la porte fermée** et à la méthode progressive. On lui explique que l'ouverture de la porte dépend de sa conduite ; elle demeure ouverte lorsqu'il reste couché dans son lit et fermée lorsqu'il en sort. Sans la fermer longtemps (1 min), on augmente les séances jusqu'à un maximum déterminé (5 min). « [L'enfant] ne doit pas être enfermé derrière une porte close, sans savoir quand on lui ouvrira. Il apprendra que l'ouverture de la porte dépend entièrement de lui[2] ». En gardant une attitude décidée, on évite que l'intervention ne devienne un jeu. La fermeté signifie aussi qu'on est prêt à y mettre le temps et la patience nécessaires pour parvenir à ses fins. Dans certains cas, la porte fermée peut faire le bonheur de l'enfant... il faut alors procéder autrement. Ou encore, la porte fermée peut éveiller des sentiments de punition et d'exclusion qui augmentent l'angoisse et l'agressivité de l'enfant.

Un système d'émulation peut alors s'avérer plus efficace ; par exemple, les systèmes d'autocollants sur le calendrier. Chaque fois que l'enfant est capable de se coucher sans se relever, il en obtient un. Lorsqu'il accumule le nombre prédéterminé par le parent, il reçoit une récompense. Cette dernière peut être toute simple, matérielle ou non selon les préférences de chacun.

Par ailleurs, il est normal, dans certaines **situations exceptionnelles**, que le jeune enfant cherche à retarder le moment du coucher. Par exemple : « lorsqu'il y a de la visite ». Selon le cas, une permission spéciale lui sera accordée ; sinon, on se retirera un moment avec lui pour prendre le temps de bien le border.

<u>Avec l'enfant anxieux</u>, on veille d'abord à **vérifier s'il exprime suffisamment ses émotions. La marionnette** se révèle alors une compagne très utile car elle favorise la verbalisation des sentiments. Le parent sera surpris des confidences accordées à l'*amie animée* et il pourra mieux répondre aux besoins de l'enfant ainsi manifestés.

La visualisation, guidée par le parent, permet à l'enfant anxieux de se libérer de ses tensions et l'aide à se prédisposer au sommeil. On peut lui demander d'imaginer un sac ou un ballon qu'il remplit de ses peines, peurs ou inquiétudes. Il se voit ensuite le lancer très haut dans le ciel. On invite ainsi l'enfant à se débarrasser symboliquement de ses problèmes – surtout lorsqu'il a de la difficulté à les exprimer – et à retrouver un sentiment de légèreté et de bien-être. Il y a mille et une façons de se servir de l'imagerie mentale. Chaque parent développe ses approches, ses trucs qui rassurent l'enfant anxieux. Pour les uns ce sera *les bisous magiques,* pour d'autres, *la prière* demeure une action protectrice quotidienne.

Avec l'enfant qui craint réellement la venue de la nuit et qui a peur de demeurer seul, il est important, en plus de favoriser l'expression de ses émotions, de **renforcer son sentiment de sécurité vis-à-vis de ses parents.** Lui dire souvent que nous sommes là, que nous ne sommes pas loin, toujours prêts à le protéger, sont des attitudes essentielles auprès de ce petit. En lui promettant de revenir le voir brièvement cinq minutes après son coucher, nous risquons que l'enfant demeure éveillé pour vérifier si nous reviendrons, mais il saura alors qu'il peut avoir confiance en nous. Lui dire qu'en plus on retournera, juste avant de se mettre au lit, l'embrasser et le border de nos belles pensées même s'il dort – et le faire ! –, le rassurera.

Dans certains cas, **jouer à colin-maillard**, durant le jour, permet à l'enfant de se sentir protégé dans une situation où il ne perçoit pas les dangers (V. « les peurs », chap. 8). **Lui parler de ce que nous ferons avec lui le lendemain** peut aussi le rassurer. La séparation est alors perçue d'une manière temporaire et l'idée de poursuivre une activité dès demain rend l'éloignement plus acceptable.

Évidemment, lorsque l'anxiété ou les peurs prennent de l'ampleur, il est nécessaire de **consulter**.

Craintes diverses et autres causes :

À la suite d'une expérience vécue dont il craint la répétition, l'enfant peut anticiper négativement l'heure du coucher.

Il a peur...

... de revivre un cauchemar ;

... de faire pipi au lit ;

... de demeurer seul dans le noir (à la suite du visionnement de films ou d'émissions télévisées, il appréhende que des images troublantes ressurgissent) ;

... d'être abandonné (à la suite d'une dispute avec l'adulte ou entre parents, à la suite d'un réveil nocturne où, sans y avoir été préparé, il découvre la présence de la gardienne, etc.) ;

... de la mort (à la suite d'une mortalité dans l'entourage – encore plus s'il s'agit d'une mort pendant le sommeil –, il craint que ses proches ou lui-même ne se réveillent pas le lendemain).

Il sera question de la plupart de ces craintes et de leurs solutions dans les prochains chapitres.

Enfin, **des causes reliées à l'état de santé**, telles que l'hypoglycémie, le vécu relatif à une hospitalisation, de même que la consommation de certains médicaments ou autres produits peuvent aussi retarder l'endormissement. (On le verra dans le chap. 7.)

En conclusion à ce chapitre, rappelons que la « méthode progressive », suggérée pour « remettre les pendules à l'heure », demande beaucoup d'implication et de disponibilité. Généralement, il faut maintenir les interventions durant la fin de semaine, car c'est souvent durant les jours de congé que se déséquilibrent les rythmes. Il importe de choisir un moment propice pour commencer de telles interventions, tout comme il est nécessaire de les maintenir durant quelques semaines, parfois quelques mois.

CHAPITRE 7

L'ÉTAT DE SANTÉ AU BANC DES ACCUSÉS

LA FAIM ET LA PERÇÉE DENTAIRE :
DEUX CAUSES AU « DOS LARGE »

Selon l'âge, la première crainte à l'égard des réveils nocturnes est généralement : « Si c'est la faim qui le réveille... » Cette hypothèse sème l'incertitude et l'ambivalence chez l'adulte. Laisser pleurer un enfant en redoutant qu'il puisse avoir faim est troublant.

Pour y voir plus clair, évaluons quelques facteurs reliés à **la faim**. Premièrement, **l'âge est un indice déterminant**. Il est normal, au cours des premiers mois, qu'un bébé se réveille pour boire. Passé le cap des trois mois, on peut commencer à l'observer plus attentivement et essayer de faire la différence entre le besoin d'un repas et une habitude. Pour ce faire, la façon de boire, l'intensité et la durée de la tétée – ou la quantité de lait au biberon – *peuvent* être des indications si on compare les boires nocturnes aux repas réguliers du jour. Il est facile de reconnaître une habitude lorsque le bébé s'endort dès le début ou qu'il boit avec peu de vigueur. Mais, même si la façon de boire est un signe, *on ne peut pas toujours s'y fier.* (On l'a vu dans le chapitre 2 : « Lorsque l'allaitement entre en jeu... ».) De son côté, le docteur Ferber en parle en ces termes :

> Si le bébé a l'habitude d'être nourri plusieurs fois par nuit, il se réveille avec la sensation d'être affamé ; il prend alors le sein ou le biberon avec avidité, même s'il a tout simplement appris à boire

avec cet horaire et n'a pas un vrai besoin de nourriture à ces heures-là. Cette faim apprise va déclencher des réveils anormaux. (...)

Si votre enfant s'arrête de crier au moment où vous lui donnez le biberon ou le sein, vous pensez qu'il a faim et a besoin d'être nourri. Vous avez raison et tort. Il a probablement faim, mais n'a pas besoin d'être nourri. Il a faim à ces moments-là parce que ce sont ceux auxquels vous l'avez nourri. Un enfant normal de quatre à six mois ou plus reçoit suffisamment de calories pendant la journée et n'a pas besoin d'en recevoir la nuit[1].

Plusieurs médecins vont confirmer cette règle générale. Il revient cependant à chaque parent de vérifier auprès de son pédiatre si la santé de son petit comporte une exception.

Le vrai pleur de faim peut ne pas commencer du tout par les pleurs, mais plutôt par des cris de malaise ou une plainte ; les pleurs à pleins poumons ne s'amorcent ensuite que si l'enfant n'est pas nourri. Cela est tout à fait cohérent si l'on songe que la faim ne se fait pas ressentir d'un seul coup, mais plutôt comme un vague besoin qui devient peu à peu de plus en plus fort[2].

L'attitude parentale joue un rôle important dans le processus de la faim. Le parent qui répond aux pleurs de l'enfant par le sein ou le biberon au moindre prétexte encourage des « automatismes de contrôle » (V. chap. 2 : « Les pleurs ») et empêche le développement d'une cadence dans ses repas*. On a vu que des habitudes diurnes régulières favorisent l'établissement d'un rythme nocturne et que le troisième mois est un moment propice pour instaurer un horaire, si ce n'est déjà fait (chap. 5). Le parent peut donc encadrer le bébé qui n'arrive pas à se régler de lui-même.

L'introduction d'une nourriture solide vient en deuxième lieu lorsque ce n'est pas la préoccupation majeure. Dans ce domaine controversé, plusieurs possibilités s'offrent aux parents et chaque philosophie pense suggérer la meilleure. Il faut alors se garder d'une attitude empruntée exclusivement à une théorie qui, à la limite, pourrait nuire à l'enfant. Les méthodes et

---

*   Notons aussi que des boires nocturnes fréquents augmentent la production urinaire. L'inconfort et parfois l'irritation qui en résultent peuvent suffire à déclencher les réveils.

les besoins diffèrent d'une génération à l'autre, d'un enfant à un autre. **Il y a toujours des exceptions auxquelles une recette uniforme est nuisible*.**

QUELQUES INDICES RÉVÉLANT QUE LE BÉBÉ EST PRÊT À MANGER UNE NOURRITURE SOLIDE OU S'Y PRÉPARE :

L'insatisfaction après les boires :

Voilà un signe révélateur, mais duquel on ne doit pas tirer de conclusion trop rapide. La nourriture solide *complète* l'alimentation de base – lait maternel ou artificiel – mais ne la remplace pas. Lorsqu'on redoute que le lait soit insuffisant, on teste la faim en offrant la nourriture solide après un boire complet. La réaction du bébé – moue, rejet ou absorption avide – répondra à notre question. Cependant, chez les jeunes nourrissons (environ 3 mois) ce signe n'est pas toujours révélateur de la faim : le bébé peut mal téter, le mode de vie de la mère allaitante devoir être révisé, le lait artificiel changé, etc.

L'intérêt pour les aliments :

Celui-ci est certainement l'indice le plus démonstratif, souvent confirmé par la réaction du bébé lorsqu'il commence à manger. L'enfant continuellement attiré par votre nourriture peut être en train de manifester sa capacité de manger ou sa curiosité à goûter. Cependant, lorsqu'il avale peu, recrache ou détourne la tête, il est évident qu'il n'est pas prêt. En général, on ne recommande pas de donner des solides avant quatre, cinq ou six mois, l'âge approximatif où, de lui-même, il a tendance à porter les objets à sa bouche. Très souvent, des parents donnent de la nourriture en pensant que les réveils cesseront, mais ils constatent avec déception qu'ils persistent. Alimenter un enfant alors qu'il n'en a pas besoin conditionnera faussement ses futures habitudes alimentaires.

---

*   Par exemple, sans en connaître les détails, un parent m'a affirmé que les pleurs constants d'un bébé de quelques semaines ont cessé avec l'introduction de solides: un fait hors du commun.

*L'introduction de solides au moment opportun
signifie une information suffisante,
orientée d'après les signes de l'enfant
et l'intuition parentale.*

La percée dentaire a, elle aussi, le « dos large » lorsqu'il s'agit de trouver une cause aux réveils. Mais souvent, elle se révèle une fausse piste : sous les devants d'un besoin se faufile alors une habitude. Comme la percée dentaire apporte des inconvénients plus prononcés chez certains petits, elle n'a pas très bonne réputation. Observons attentivement quelques symptômes.

La salivation abondante prépare *généralement* la percée. Cette période d'incubation varie d'un bébé à l'autre et peut commencer autour de quatre mois. On retrouve parfois le haut de ses draps et de ses vêtements mouillés. La première dent paraît habituellement entre cinq et sept mois, mais ce domaine comporte aussi ses exceptions. Lorsqu'un bébé fait ses dents, il aime généralement mordiller dans des objets durs. On peut acheter des modèles spécialement conçus pour la dentition et vérifier régulièrement la fiabilité de l'achat. L'important est de laisser à sa portée des choses propres qu'il aime mettre à sa bouche afin de frictionner ses gencives. Bébé affectionne particulièrement notre index ou une débarbouillette mouillée et refroidie préalablement au congélateur.

Des éruptions cutanées sur les joues et le menton, des irritations aux fesses, une poussée de fièvre et de l'irritabilité peuvent être des signes de dentition. Certains enfants sont plus nerveux lors de la percée dentaire ; il faut éviter de leur donner une alimentation acide et excitante. De plus, dans tous ces cas, des soins naturels peuvent apporter une aide salutaire. Entre autres, le petit collier de dentition offre une solution préventive et curative pour les maux de dents et leurs symptômes. D'origine amérindienne, il est fabriqué à base d'un bois aux propriétés dépuratives et fébrifuges – sureau, noisetier ou autre (disponible dans certains magasins d'aliments naturels). Si des troubles accentués surviennent, on peut demander l'assistance d'une personne compétente.

Les soins diurnes prodigués pour soulager les malaises dentaires seront utiles la nuit, quoique rassurer seulement l'enfant pourra suffire à le calmer. L'attitude parentale demeure déterminante au cours de la percée dentaire. Le parent confiant réagira plus calmement que le parent inquiet.

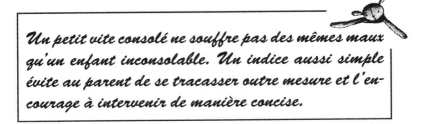

Un petit vite consolé ne souffre pas des mêmes maux qu'un enfant inconsolable. Un indice aussi simple évite au parent de se tracasser outre mesure et l'encourage à intervenir de manière concise.

Heureusement, cette phase peut aussi se passer sans désagrément. Un beau jour, la dent apparaît et une nouvelle étape s'amorce ; bébé grandit, la percée dentaire en est une preuve. Ces moments laissent des souvenirs inoubliables chez plusieurs parents.

LA NERVOSITÉ ET QUELQUES ÉLÉMENTS SOIGNANTS

La nervosité chez le bébé et le jeune enfant ne doit pas être confondue avec l'éveil et l'intérêt soutenus qu'ils démontrent. Elle se manifeste par une attitude générale de crispation, par des réactions vives aux moindres stimuli ; l'enfant nerveux est continuellement aux aguets et l'insécurité le domine. L'enfant dont le sommeil est dérangé par la nervosité manifeste déjà cet état durant le jour. Par ailleurs,

[on] a également remarqué que les enfants irritables, instables, au sommeil très léger, souvent incapables de dormir en dehors des bras de leur mère, se réveillant au moindre bruit, incapables de quitter le sein et constamment tendus, pouvaient manifester une carence en vitamine B6 et en magnésium[3]. (...)

Souvent cet état nerveux s'accompagne de ce qu'on appelle « le chapeau » ou « croûte de lait »[4].

Sans donner de suppléments alimentaires aveuglément, une personne spécialisée dans ce domaine est en mesure d'évaluer la situation, de constater le type d'intervention indiquée et la forme sous laquelle elle doit se faire. Pour sa part, la mère allaitante peut enrichir son lait par une nourriture spécifique ou par des suppléments. Avec l'enfant plus vieux, on peut aussi corriger et améliorer son alimentation.

À ce stade-ci, il m'apparaît indispensable d'élaborer un peu plus sur l'alimentation. Se nourrir fait partie des actions quotidiennes pouvant prévenir ou même soigner des problèmes de sommeil, en particulier lorsqu'il s'agit d'un enfant nerveux.

Plusieurs aliments peuvent favoriser ou nuire au déroulement du sommeil. Les aliments acides sont généralement irritants et excitants pour le corps : les sucres, les colorants alimentaires, le bœuf, certains jus et fruits acides, les boissons gazeuses, les marinades, les sauces tomates, certaines légumineuses, etc.[5] Par contre, les aliments alcalins calment l'organisme : le riz, le millet, certaines laitues et légumes, certains fruits doux, les graines de sésame et de tournesol, le poulet, etc.[6]. (Johanne Verdon, dans son livre *Soigner avec Pureté*, nous donne de bonnes indications en différenciant les aliments acides des aliments alcalins.)

L'élimination partielle ou totale du sucre peut solutionner d'innombrables problèmes. En l'enlevant graduellement de l'alimentation de l'enfant, une nette amélioration voit généralement le jour*. Plusieurs aliments au menu quotidien de beaucoup d'enfants contiennent une bonne part de sucre : les céréales, les confitures et autres produits à tartiner. Et que dire du chocolat chaud : véritable ennemi du sommeil ! « Le chocolat ou le cacao (...) contiennent de la théobromine dont l'effet est identique à celui de la caféine[7] ».

---

* Dans certains cas, il est bon de faire vérifier l'état de santé général de l'enfant et de se renseigner sur l'hypoglycémie (un des thèmes de ce chapitre).

Évidemment, l'enfant privé de manière drastique de ces excitants et avec autorité a davantage l'impression d'être puni qu'aidé. Par conséquent, la *façon* dont le parent présente et explique les modifications à l'enfant fait toute la différence. (Il doit aussi être convaincu de la validité d'une telle démarche...) En offrant progressivement de nouveaux aliments à l'enfant et en diminuant l'achat de mets moins nutritifs, il lui apprendra à élargir ses goûts et à transformer ses habitudes alimentaires. (Ex. : remplacer le cacao par de la poudre de caroube*, acheter des céréales sucrées aux jus de fruits et agrémentées de raisins secs plutôt que des céréales avec des sucres concentrés et raffinés, etc.) L'enfant n'adoptera pas nécessairement toutes les nouveautés, mais en persévérant, le parent parviendra, au moins, à améliorer l'alimentation de base de la famille. L'enfant sera le premier à récolter le fruit de ses efforts, car il se sentira moins irritable et mieux disposé.

Dans les changements apportés au menu de l'enfant, on veillera à donner des aliments calmants au repas précédant le coucher. Concernant la consistance du repas, on peut se demander si celui du soir doit être plus ou moins substantiel. Différentes philosophies courent à ce sujet. Il importe avant tout de donner des aliments sains, sans surcharger l'organisme et surtout, d'observer les réactions de l'enfant suite à ce repas. Chaque métabolisme diffère et il n'y a pas de recette unique.

Les usages pratiqués en alimentation depuis des générations ne se défont pas facilement, j'en conviens. De plus, la nutrition est un domaine sans cesse en évolution. Voilà pourquoi l'aide d'une personne convaincue et expérimentée pourra être utile. De même, rappelons qu'une action progressive sera généralement préférable et plus durable qu'une intervention drastique. Améliorer l'alimentation de base, sans pour autant tout couper. On laisse de la place pour les extra : « Une fois n'est pas coutume ». Lors d'étapes critiques, des changements radicaux peuvent toutefois s'imposer afin d'obtenir des résultats au plus vite.

---

*   Fruit d'un arbre du Moyen Orient, moulu en poudre fine et grillé. Riche en minéraux et pauvre en gras (2% contre 52% pour le chocolat)[8]. Un aliment disponible dans les magasins d'aliments naturels.

En bref, les attitudes indispensables dans la quête d'une alimentation saine se résument à de la curiosité, des essais, de la tolérance et de la persévérance. Les habitudes alimentaires, le respect pour la nourriture et le corps s'acquièrent au sein du noyau familial. Plus tôt on les transmet, plus elles s'intègrent naturellement ; mais *il n'est jamais trop tard pour bien faire.*

Dans cette démarche vers un mieux-être, il importe de mentionner qu'un aliment ou un produit naturel peut parfois être dommageable. On l'a vu, « trop d'une bonne chose peut devenir une mauvaise chose ». Un jour, voulant renforcer le système immunitaire de notre fils, je lui ai donné de la propolis (substance résineuse butinée par les abeilles). Généreuse, je ne lésinais pas sur les portions. Peu de temps après, j'ai remarqué qu'il tardait de plus en plus à s'endormir le soir. Cherchant à comprendre ce qui se passait, j'ai fait le lien avec la propolis. J'ai cessé de lui en donner et, graduellement, la situation est revenue à la normale. Conclusion : à certains dosages, à certains moments du jour ou de la vie et pour certains organismes, un produit naturel peut occasionner des désagréments. Par exemple, la vitamine C étant stimulante, il n'est habituellement pas recommandé d'en consommer après 16 heures, surtout lorsque le sommeil est fragile. De là, l'importance de consulter des personnes compétentes et d'éviter de chercher les panacées universelles ; ce qui est valable pour l'un ne l'est pas nécessairement pour l'autre. Rappelons que les avantages apportés par ces approches ne minimisent pas notre responsabilité à bien les choisir.

En portant notre attention sur l'alimentation saine, on ne peut ignorer ses compléments : les soins naturels multiples. Les parents gagnent à mieux connaître les lois de santé et à les appliquer. Plus ils s'informent et se documentent, plus ils s'outillent pour comprendre et évaluer leur situation. Moins ils laissent les autres décider et agir à leur place, plus leur estime parentale grandit et plus les enfants en bénéficient. Le médecin, ou tout autre intervenant choisi, guidé par les observations des parents attentifs, voit, bien souvent, sa tâche facilitée et parvient à des solutions mieux adaptées à l'enfant.

Pour terminer ce thème, mentionnons quelques approches naturelles, sans pour autant approfondir la variété des soins utiles à un meilleur sommeil. Ils suffiront peut-être à vous mettre l'eau à la bouche, si ce n'est déjà fait !

LES PLANTES RELAXANTES SE PRÉSENTENT SOUS DIFFÉRENTES FORMES :

En tisanes :
(en vrac ou en sachets)

Pour boire ou pour le bain. Certaines personnes hésitent – pour différentes raisons – à donner de tels breuvages à des bébés. L'important à ce sujet est de vérifier la qualité des herbes séchées et de consulter une personne compétente dans ce domaine. En achetant des tisanes cultivées et certifiées biologiques (sans pesticides, herbicides ou autres produits chimiques), on s'assure d'une qualité supérieure. On évite ainsi d'attribuer des effets néfastes à la plante, alors que les procédés et les traitements subis en sont la cause. Les tisanes biologiques sont plus rares et plus coûteuses, mais elles sont incomparables*.

En gouttes, sous forme de teintures et plus concentrées :
(macération de la plante)

Pour diluer dans un breuvage.

En gouttes, sous forme d'huiles essentielles et extrêmement concentrées : (procédé par distillation)

Pour le bain ou dans une huile à massage ; à utiliser avec précaution, à très petites doses et d'après les conseils d'un spécialiste. Masser l'enfant avec une huile aromatisée offre une façon agréable de le détendre. Cette approche parentale peut se faire spontanément ou inspirée par des techniques spécifiques de massage pour bébés et enfants.

---

* L'Armoire aux Herbes, à Ham-Nord, une entreprise québécoise, fournit une gamme de produits de très haute qualité. Plusieurs distributeurs vendent leurs produits.

Les « élixirs floraux » :
(du Dr Bach ou de l'Armoire aux Herbes)

Ce sont des *essences de fleurs* qui travaillent davantage le niveau vibratoire de l'individu. Elles complètent bien les soins physiques.

Les magasins d'aliments naturels offrent généralement de l'information sur une variété de produits pour apaiser le corps et le cœur. Prenez le temps de magasiner, de vous renseigner et d'utiliser vous-mêmes vos nouvelles acquisitions. « Les essayer, c'est les adopter » ; surtout si vous appréciez les petites douceurs de la vie. Pourquoi pas ? D'ailleurs, les bonnes vieilles recettes de nos grands-mères sont toujours d'actualité lorsqu'il s'agit de favoriser le bien-être familial. Des remèdes simples et à la portée de tous sont les atouts de Mère Nature. Bien sûr, ils s'ajoutent à un ensemble d'éléments soignants ; car à eux seuls, ils ne feront pas de miracle. Dans certains cas, des carences physiques devront être comblées. Une recherche minutieuse pour trouver l'aide d'une personne qualifiée s'avère alors indispensable (naturopathe, herboriste, phytothérapeute, homéopathe, acupuncteur, ostéopathe, etc.).

L'ENFANT ET L'HYPOGLYCÉMIE

C'est en parlant avec la mère d'un enfant hypoglycémique que j'ai constaté l'ampleur de ce problème de santé. En diagnostiquant une hypoglycémie, elle a mis fin aux difficultés de sommeil de son enfant, ainsi qu'à d'autres désordres qui duraient depuis la naissance (V. le témoignage « Le sucre en pénitence », chap. 9).

L'hypoglycémie est une diminution du glucose (sucre) dans le sang. Cette chute glucidique entraîne différents problèmes de santé : maux de tête, étourdissements, angoisse, hyperémotivité, insomnie, fatigue anormale, etc. La liste des symptômes est trop longue et trop variée pour que je l'énumère ici. À cause de la diversité des malaises et de l'ignorance, les professionnels de la santé ne diagnostiquent pas toujours les cas ; nombre de personnes souffrent durant des années avant de comprendre ce qui leur arrive. Divers facteurs doivent alors être évalués : le régime alimentaire, le mode de vie en général, l'impact du stress sur la santé des glandes, l'apport de suppléments adéquats, etc.

Les enfants aussi vivent ce problème. Évidemment, lorsque les troubles du sommeil proviennent de l'hypoglycémie, il y a d'autres signes qui les accompagnent : hyperactivité, irritabilité, manque d'énergie, manque de concentration, rage de faim, de sucreries, etc. Dès la naissance, certains bébés démontrent des indices : refus de téter, mouvements saccadés des bras et des jambes, coliques violentes, agitation ou état léthargique, insomnie autant de jour que de nuit, soif constante (tétée aux deux heures ou moins), etc.[9] Les symptômes varient selon les individus et le degré d'hypoglycémie. D'excellents livres informent sur cette réalité urgente à reconnaître.

LES VERS

Qui n'a pas entendu un parent demander à un enfant turbulent : « As-tu des vers ? » En effet, la présence de vers dans l'organisme peut rendre plus nerveux. Les étapes du développement des vers – larves, vers adultes, ponte d'œufs – dérangent le corps à différents niveaux. À ces diverses phases, correspondent des problèmes respiratoires, digestifs et cutanés (le grattage, plus facilement associé à la parasitose*). Ce dernier symptôme survient lorsque la femelle se rend à l'anus pour y pondre ses œufs. L'enfant se gratte alors souvent dans cette région, pouvant même se réveiller durant une séquence plus intense. « Les enfants parasités sont agités, tout particulièrement la nuit[10] ». Les vers les plus courants sont appelés « oxyures » et sont souvent transmis par le chat, tandis que les « ascaris » le sont par les chiens[11]. Les œufs des vers logés dans le sable où l'enfant joue sont un autre exemple de source de contamination.

Si, avec ces quelques points de repère, vous redoutez une parasitose chez votre enfant, il faut le vérifier. Lorsqu'il dort,

---

* Les personnes désireuses d'approfondir ce sujet peuvent se référer au volume *L'enfant et sa nutrition*, de Danièle Starenkyj.

quelques heures après l'endormissement, procédez à une inspection. Elle consiste simplement à écarter les fesses de l'enfant et à observer la région anale avec une lampe de poche ; on peut alors apercevoir de tous petits fils blancs. Ce sont les parasites. Ce n'est certainement pas la recherche la plus palpitante, mais on m'a dit qu'elle s'avérait concluante. Si on craint d'éveiller chez l'enfant un sentiment de laideur vis-à-vis lui-même, il n'est pas nécessaire de lui expliquer les détails de ce que l'on fait. En l'informant, d'une façon désinvolte, on évitera la transmission de la peur, de l'énervement ou du dédain. L'enfant qui a des vers a besoin d'aide et cet appui nécessite d'aller au-delà de la répugnance.

Lorsque la parasitose est confirmée, les mesures de propreté sont les soins de base à donner. C'est-à-dire le nettoyage régulier des ongles qui risquent d'être infestés et de propager les œufs. Le changement fréquent des sous-vêtements, des vêtements, des draps et des serviettes de bain qui peuvent aussi en contenir. La désinfection constante du siège et du bol de la toilette, de même que tous autres soins jugés pertinents. Concernant les actions/santé à entreprendre, selon l'âge, on pourra recourir aux aides suivantes.

L'ail est le guerrier idéal à envoyer au front... L'ail est reconnu pour ses propriétés antiparasites et antibactériennes. On le retrouve sous différentes formes : en gouttes, en capsules, en comprimés, etc.

Le jus de chou (à l'extracteur) est un vermifuge ; on peut le mélanger au jus de carotte.

La graine de citrouille est aussi très indiquée car, en plus d'apporter une source de nutriments essentiels, elle est un bon vermifuge.

Le noyer noir combat les parasites. On le retrouve, entre autres, sous forme de gouttes.

En même temps que l'utilisation d'un vermifuge, il est conseillé de fortifier la flore intestinale. **Les cultures bactériennes** (supérieures aux gélules de yogourt, car elles ne contiennent pas de produits laitiers) sont une façon de le faire.

Éviter les sucres, le miel, etc.

Traitement plus spécifique : – à vérifier auprès de gens expérimentés –

L'enfant, parfois toute la famille, devra recevoir un traitement complet contre les parasites. Selon le spécialiste consulté, différents traitements pourront être choisis.

Au début de notre siècle le charbon activé était considéré comme exceptionnel dans la prévention et le traitement des helminthiases* intestinales[12].

Finalement, de façon générale, parlons prévention (hygiène) plutôt que privation (contacts avec les animaux, le sable, etc.). Une surveillance régulière de la santé de l'animal familier et l'éducation à une hygiène particulière concernant les contacts avec ce dernier offrent des moyens préventifs simples.

L'ENFANT ET LA MALADIE

Lorsque surgissent des problèmes de santé, les nuits s'en trouvent souvent perturbées.

La sollicitude excessive des parents lors de ces périodes est une attitude à surveiller. Par crainte que le mal empire durant la nuit, certains parents vérifient continuellement l'état de l'enfant malade et nuisent au bon déroulement de son sommeil. L'inquiétude parentale étant ressentie par l'enfant, il peut se réveiller lors des phases de sommeil léger ou d'éveil partiel normal. Cette situation devient un vrai cercle vicieux : inquiétude-sollicitations-réveil-inquiétude... Parfois, les soucis parentaux persistent après la maladie et le même scénario se répète.

D'autres aspects à surveiller, en phase de maladie, sont **certaines actions exceptionnellement autorisées** qui peuvent entraîner de nouvelles habitudes. Si cette période chambarde l'horaire, il est bon de retrouver l'équilibre du quotidien dès que possible. De même, la disponibilité parentale accentuée durant la maladie doit revenir à la normale par la suite.

Regardons maintenant les malaises les plus fréquemment observés chez nos petits et quelques considérations.

---

*   Maladie causée par des vers parasites en général.

Les affections pulmonaires font partie des maladies facilement identifiables ou du moins, leurs manifestations démontrent clairement qu'elles causent les réveils. Un simple rhume ou la toux d'une grippe suffit à déranger la qualité du sommeil, car dans la position couchée, les sécrétions adhèrent plus facilement à l'arbre respiratoire.

Dans les cas légers où il y a obstruction nasale au réveil, il y a lieu de vérifier si le taux d'humidité est suffisant. Souvent, l'utilisation d'un humidificateur peut suffire à régler le problème. Mais attention ! Cet appareil a besoin d'un entretien rigoureux ; sinon l'air se pollue et l'humidificateur génère d'autres problèmes qui entravent les voies respiratoires. Certains appareils contiennent une ouverture où l'on peut ajouter une huile essentielle utile, comme le thym, l'eucalyptus ou la lavande. Pour ce faire, les diffuseurs d'huiles essentielles sont supérieurs. Efficaces, ces appareils permettent à l'enfant de s'endormir en respirant une plante bienfaisante pour l'arbre respiratoire. On en retrouve différents modèles, à des prix variés.

Certains maux plus graves : asthme, bronchite, pneumonie demandent des soins intensifs et le rythme jour/nuit se trouve déséquilibré durant un certain temps. Ces maladies plus sérieuses nécessitent une aide extérieure.

Quant à **la fièvre**, si l'on ignore ce qu'elle précède, on sait, au moins, qu'elle dérange le sommeil. L'enfant fiévreux aura généralement tendance à dormir davantage.

Une otite n'est toutefois pas aussi manifeste. Lorsqu'on la redoute, une consultation médicale s'impose.

De même, les **allergies** ne se perçoivent pas toujours facilement. Des écoulements clairs du nez et des yeux, des démangeaisons et des rougeurs en sont quelques symptômes. Parmi les substances allergènes se trouvant dans l'environnement de l'enfant et perturbant son sommeil, on retrouve : la fumée de tabac, la poussière, les acariens*, le poil d'animaux, certains objets ou jouets rembourrés (la bourre elle-même et la poussière

---

*   Pour des informations concernant la literie et les recouvrements antiacariens, on peut rejoindre le CLSC ou l'hôpital de sa région afin de savoir s'ils sont affiliés au « Réseau québécois pour l'enseignement sur l'asthme ». On peut aussi rejoindre le secrétariat provincial au 1 (877) 335-9595.

qui s'incruste dans ces jouets), les oreillers de plumes ainsi que certains parfums ou produits contenus dans les adoucisseurs de tissus (liquides et en feuilles) utilisés lors du lavage des pyjamas et de la literie.

Finalement, il y a différents facteurs à considérer lorsque la maladie paraît. Certains d'entre eux comportent davantage de sources d'anxiété : les piqûres, les traitements, les inconnus, le personnel soignant, etc. Un suivi rigoureux et le regard d'une personne extérieure peut alors baliser les interventions parentales.

L'HOSPITALISATION

Il est impératif d'informer le plus clairement possible l'enfant qui doit être hospitalisé, même pour une courte durée. (Il faut prendre soin de le préparer une étape à la fois.) S'il se fait endormir pour une intervention sans avoir été suffisamment prévenu de ce qui lui arrivera, l'enfant se réveillera confus, sans comprendre ce qui s'est passé. Par la suite, il résistera peut-être à l'endormissement parce qu'il associera le sommeil à cette expérience.

L'enfant plus jeune n'anticipe pas un tel événement. On peut le préparer et minimiser son angoisse par le biais de livres d'histoires, par le jeu, par la libre expression de ses peurs, de même que par des réponses simples et honnêtes à ses questions. Souvent, à la suite d'une hospitalisation, l'enfant reproduira de telles séances en jouant avec ses poupées ou ses oursons. « [Le] jeu permet à l'enfant de maîtriser une activité qui représente symboliquement une situation réelle où il souffre beaucoup d'être contrôlé[13] ».

La séparation occasionnée par l'hospitalisation est une autre source d'anxiété qui pourra subsister après le séjour. Certains enfants y ont vécu une souffrance physique et morale qui sera associée à la séparation. C'est pourquoi la présence affectueuse des parents compte beaucoup dans ces moments-là. Les docteurs Cohen (pédiatre) et Rufo (psychiatre pour enfants) écrivent :

[On] doit insister sur le soutien et la participation aux soins des parents, qui ne doivent pas se sentir exclus ou hors jeu. *Il faut ouvrir l'hôpital aux parents et, si possible, aux frères et sœurs de l'enfant*[14].

LES SOMNIFÈRES ET LES MÉDICAMENTS

« Les somnifères noircissent les nuits blanches mais assombrissent les jours[15] ».

J'ignore jusqu'à quel point des somnifères sont prescrits pour les bébés et les enfants, mais il est certain qu'il ne faille y recourir que dans des cas très rares. Le docteur Richard Ferber, expérimenté dans le domaine du sommeil de l'enfance, dit ceci :

> Depuis quelques années, la communauté médicale s'est rendu compte que les somnifères avaient entraîné plus de troubles du sommeil chez l'adulte qu'ils n'en avaient guéris. C'est encore plus vrai pour les jeunes. (...) De plus, les médicaments les plus forts modifient souvent l'humeur et les capacités de l'enfant pendant la journée : il peut devenir hyperactif, « collant », capricieux, avec un comportement « bébé ». (...)
>
> Le comportement diurne de l'enfant et sa capacité à se concentrer et à apprendre peuvent aussi être compromis[16].

Plus les parents investissent de temps dans leur recherche, moins ils risquent de recourir aux somnifères. S'ils sont indécis, consulter différents spécialistes de la santé favorisera un choix réfléchi et éclairé.

Par ailleurs, dans le cas d'un enfant dont le sommeil est perturbé depuis qu'il consomme un médicament, le parent a raison de s'interroger sur ses effets secondaires. En discutant de ses doutes avec le médecin traitant, il pourra déterminer si ce médicament est la source du problème et s'il y a possibilité de faire des ajustements (changer la forme, le dosage, l'heure à laquelle le médicament est pris, etc.).

> Bien qu'il soit peu probable que les antibiotiques puissent, par eux-mêmes, causer un trouble de sommeil, les excipients* des préparations liquides le peuvent[17].

---

*   Substance qui entre dans la composition d'un médicament, et qui sert à incorporer les principes actifs. (Robert)

CHAPITRE 8

PAS DE PANIQUE

L'ANXIÉTÉ DUE À DES SITUATIONS PARTICULIÈRES

Certains problèmes passagers du sommeil sont reliés à des situations particulières. Ces circonstances touchent généralement les aspects psychologique, affectif et émotif de la personnalité de l'enfant et *peuvent* rendre son sommeil plus fragile. Tout cela dépend de l'intensité avec laquelle il est touché, de son tempérament et de sa possibilité de s'exprimer.

S'il se permet d'exprimer ses sentiments, même de façon inappropriée, il aura moins besoin de se défendre contre eux pendant la nuit et aura un sommeil de meilleure qualité. (...)

Les facteurs émotionnels ne provoquent probablement pas les réveils, mais peuvent modifier la réaction de l'enfant lors des éveils normaux au cours de la nuit[1].

Durant une période d'inquiétude, l'endormissement au coucher et après les « éveils normaux » ne se fait pas toujours aussi facilement qu'à l'accoutumée.

Quelques situations *susceptibles* de rendre le sommeil temporairement plus fragile.
(Selon les individus, elles peuvent tout aussi bien ne pas déranger.)

Les stress passagers :

– Choc émotif quelconque.

– Accident.

– Tensions familiales.

Les séparations temporaires :

– Un parent hospitalisé.

– Un parent en voyage.

– Un parent qui retourne sur le marché du travail.

Les changements dans la vie de l'enfant :

– Lit nouveau : en voyage, lorsqu'il se fait garder ailleurs, ou lors du passage du berceau au lit.

– Étapes critiques de son développement : peur de quitter maman, apprentissage de la marche, du langage, de la propreté, etc.

– Naissance d'un frère ou d'une sœur.

– Admission à la garderie.

– Admission à l'école.

– Déménagement.

– Déménagement d'un ami dans une autre région.

– Séparation.

– Divorce.

– Deuil.

Le parent attentif est en mesure de « faire les liens » entre une expérience vécue par l'enfant et une difficulté de sommeil. Il peut alors lui en parler directement ou indirectement. Dans la dernière situation, il s'agit, en s'inspirant de ce qui préoccupe l'enfant, de lui raconter une histoire, d'utiliser une marionnette ou de le faire dessiner. **L'objectif visé est toujours**

que l'enfant se libère de ses sentiments avant de s'endormir, afin qu'il maîtrise mieux ses éveils nocturnes normaux. Par la suite, le parent aura peut-être à clarifier la situation anxiogène (à l'école, au service de garde, etc.). Avec un bébé, une attention accrue peut aider. On prendra soin de favoriser les sources de plaisir durant le jour : jeux, histoires, sorties, etc., tout en intervenant brièvement la nuit. On peut aussi l'encourager à pleurer lorsqu'il en a besoin. Plus on lui permet d'exprimer ses « trop plein » d'émotions, moins l'anxiété risque de se manifester. Si la situation dérangeante concerne directement le parent, il doit veiller le plus possible à protéger l'enfant de ses problèmes d'adulte*.

LES PEURS

La majorité des spécialistes s'accordent pour dire que **les peurs font partie du développement normal de l'enfant et qu'une attitude parentale compréhensive suffit généralement à le seconder dans cette étape.** Chez le bébé, les peurs se situent au niveau des bruits intenses, des lumières vives, des situations étrangères, etc. Les peurs les plus courantes surgissent entre deux et six ans – peur du noir, des voleurs, des animaux, des monstres, etc. C'est sur celles-ci que nous nous attarderons, particulièrement celles qui surviennent à l'heure du coucher ou durant la nuit.

D'une part, quelle que soit la crainte, *il n'est jamais utile de forcer l'enfant à affronter sa peur. Il est toujours préférable de l'aider à l'apprivoiser graduellement.* Pour ce faire, il faut de la patience et du temps. Reconnaître sa peur sans contrôler instantanément la situation implique la capacité de **demeurer calme** et d'**offrir une présence réconfortante**, car avant tout, l'enfant a besoin d'être sécurisé. J'en sais quelque chose. Un jour, alors que nous étions en visite, notre fils refusait de s'endormir seul. Il était

---

* Lors d'un divorce, les sentiments des adultes face à leur ex-conjoint peuvent déteindre sur leur relation avec l'enfant. Plus la séparation est bien vécue par les adultes (en allant chercher de l'aide si nécessaire), mieux les enfants s'adaptent. Lorsque, malgré la coupure, on assure une continuité dans les « routines de base », on offre un encadrement sécurisant pour les enfants.

couché près d'un escalier conduisant à un sous-sol. Pensant qu'il se servait d'un prétexte pour venir dormir dans la même chambre que nous, et voulant contrôler instantanément la situation, j'ai imposé mon idée. Mon attitude a fait monter la tension, mon fils s'est senti de plus en plus crispé et le temps d'endormissement s'est prolongé. Le lendemain, nous avons choisi un endroit où il se sentait plus en sécurité. Ma conclusion de cette expérience : si j'avais pris le temps de mieux l'écouter et de *me mettre un peu à sa place*, j'aurais vite compris que l'imagination enfantine se monte facilement des scénarios, surtout près d'un escalier conduisant à un sous-sol ! J'aurais perçu sa peur plutôt qu'un désir de manipulation.

D'autre part, la peur chez l'enfant est toujours réelle, même si la cause concrète ne l'est pas. Alors, quel que soit son âge, il ne s'agit pas d'un caprice et il a besoin qu'on le prenne au sérieux. Une approche simple consiste à **lui faire dessiner sa peur, pour ensuite lui « faire mettre son dessin en miettes »**. (Ce moyen est utile lorsque l'enfant communique peu.) Par ce geste symbolique, il a le sentiment de dominer sa peur. Cette démarche peut suffire – sinon contribuer – à mettre fin à la crainte et à « passer à une autre étape ».

Lorsqu'une peur persiste, on peut envisager d'autres pistes. Par exemple, si vous savez qu'il n'y a pas de monstre dans la chambre, ce dernier peut toutefois représenter le combat intérieur que vit l'enfant lors de transitions ou d'événements importants au cours desquels il a de la difficulté à gérer ses « pulsions interdites » (agressivité, colère, jalousie, etc.). Une façon de « partir à la recherche du monstre » est de **raconter une histoire qui aborde le « sujet-présumé-monstre »** par le parent (naissance d'un frère ou d'une sœur, hospitalisation, entrée à la garderie, etc.). Par le biais du conte, l'enfant se sentira moins seul à vivre ses sentiments et il aura l'occasion d'en parler.

Par ailleurs, le soir, il est bon de vérifier avec l'enfant sous le lit, dans le placard et d'**identifier les sources de bruit et d'ombres** – le vent, les feuilles qui bougent, etc. Toutefois, on ne doit pas mettre d'emphase sur cette recherche, sinon le petit croira qu'il y a réellement lieu de s'inquiéter. Une fois le mystère éclairci, il s'agit d'être bref, ferme, et de le border agréablement – par une comptine, une chanson, une prière, un court massage.

Avec l'enfant qui a peur d'être dans le noir, allumer une veilleuse est généralement la première solution choisie. Si la lumière sécurise l'enfant, le problème de la peur reste tout de même entier. On cherchera alors des moyens pour l'amener graduellement à vaincre sa peur par lui-même. Une façon progressive de l'aider à apprivoiser le noir est de commencer par **laisser une veilleuse et de diminuer l'intensité, petit à petit, au fil des jours ; on peut laisser la porte ouverte si elle était habituellement fermée***. Aussi, progressivement, on favorisera des situations plaisantes dans le noir. On pourra jouer à la balle avec l'enfant et l'inviter à venir la chercher avec nous dans une pièce sombre. Si l'enfant n'y est pas forcé et que l'on répète souvent ce jeu, il accompagnera l'adulte et finira par entrer de plus en plus longtemps seul dans une pièce obscure. Jouer à la cachette dans la pénombre, faire un repas à la chandelle sont d'autres manières d'apprivoiser la noirceur. Toutes ces façons de faire ont pour but d'**associer des événements agréables à la peur de l'enfant** ; il finira par y découvrir du plaisir et s'y sentir plus à l'aise.

> [Un enfant, qui souffrait] des frayeurs nocturnes qui perturbaient son sommeil, a vaincu son angoisse en jouant le plus souvent possible à colin-maillard.** Chaque jour, il vérifiait à tout bout de champ si ses parents veillaient sur sa sécurité quand il ne pouvait pas voir lui-même les dangers. Comme ils ne manquaient jamais de le rassurer sur ce point important, il put retrouver un sommeil paisible[2].

L'enfant qui craint d'être seul dans sa chambre doit d'abord apprivoiser son lieu d'intimité durant le jour. Pour ce faire, on l'y accompagnera pour graduellement le laisser seul un moment, puis plus longtemps.

Dans certains cas, il est possible que les peurs soient reliées à des films ou des émissions télévisées que l'enfant a vus. **Un**

---

*   La porte ouverte n'est pas synonyme de sécurité pour tous les enfants. Une mère m'a raconté que sa fille a été rassurée à partir du moment où elle a fermé la porte de sa chambre.

** Il existe diverses variantes de ce jeu, mais le principe consiste à bander les yeux d'un joueur qui essaie de toucher et de reconnaître les autres joueurs.

« **code d'éthique** » **familial par rapport à la télévision** serait profitable ou s'il y en a déjà un, il aurait peut-être besoin d'être révisé. Finalement, si l'enfant démontre une panique réelle et que malgré tous les efforts, il n'y a pas d'amélioration, il faudra chercher une aide extérieure.

Par ailleurs, rappelons que les peurs des parents se transmettent à l'enfant. Celui qui redoute le tonnerre a peu de chance de rassurer son enfant pendant un orage ; celui qui aime ces moments en fera une activité d'observation agréable.

LES CAUCHEMARS

Les cauchemars surviennent dans une phase intense de rêve – sommeil paradoxal – et, de ce fait, tard dans la nuit. Suite à ces rêves terrifiants, l'enfant a un éveil complet et se souvient de son cauchemar. Il demande et souhaite votre réconfort. Par la suite, il peut se rendormir avec peine, surtout si le sentiment de peur persiste. Généralement, l'enfant plus âgé se souviendra de ses cauchemars le lendemain. S'il craint de refaire de mauvais rêves les soirs suivants, il peut éprouver de la difficulté à s'endormir à l'heure du coucher.

Lors des cauchemars, il est plus facile de savoir ce qui se passe avec l'enfant plus vieux parce qu'il s'exprime. Le jeune enfant, en plus d'être limité dans son langage, fait difficilement la distinction entre le rêve et la réalité. Même si vous lui dites que le cauchemar est terminé, il pense que l'animal qu'il a vu est encore là. Voilà pourquoi les bébés et les jeunes enfants ont particulièrement besoin d'être pris et réconfortés physiquement. *La présence parentale les rassure davantage que les explications.*

Être réveillé subitement par un enfant qui pleure exige toutefois une présence spontanée... parfois difficile à donner. Mais il sera plus facile de le réconforter si on se reporte à nos propres sentiments suite à un mauvais rêve. Rappelons-nous de notre propre sensation de malaise ressentie après nos cauchemars. Même si nous sommes conscients que « ce n'était qu'un mauvais rêve », selon l'intensité et l'empreinte laissées, il nous faut plus ou moins de temps avant de nous rendormir. Avec l'enfant, **le serrer dans nos bras** en lui disant : « C'est terminé, nous sommes là pour te protéger, tu n'es pas seul, etc. » est un geste simple mais réconfortant. Le laisser s'exprimer et pleurer, s'il en ressent le besoin, peut aussi lui faire du bien.

Lors de cauchemars occasionnels, l'intervention spontanée suffit à calmer et à rassurer le petit. Cette présence ne signifie pas toutefois de répondre à toutes les demandes de l'enfant ou d'éterniser ce moment avec lui. Une fois la tempête apaisée, il s'agit de le border calmement et de le laisser se rendormir. L'intuition, dans de tels moments, peut nous guider pour donner « juste ce qu'il faut ». Il est possible que l'enfant plus vieux demande de **laisser sa porte ouverte ou d'allumer une veilleuse** : il a besoin d'être en contact avec la réalité qui l'entoure et il veut éviter l'isolement.

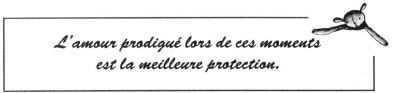

L'amour prodigué lors de ces moments est la meilleure protection.

Toutefois, **si les rêves terrifiants se répètent, il est bon d'en chercher les causes. Si on associe la venue d'un événement ou d'une étape particulière du développement de l'enfant avec l'arrivée des cauchemars** (permanence de l'objet, éducation à la propreté, entrée à la garderie, séjour hospitalier, etc.), **on soutiendra davantage l'enfant durant cette étape spécifique.** Par exemple, de six à neuf mois, parfois jusqu'à un an, l'enfant peut vivre difficilement les séparations ; on encouragera alors des jeux de « coucou » ou de « jeter/ramasser » afin de favoriser « la permanence de l'objet »*. De même, aux alentours de deux ans, l'éducation à la propreté peut amener des conflits chez l'enfant ; il aime à la fois se salir et faire plaisir à ses parents. Dans de tels cas, relâcher les exigences parentales et favoriser les jeux salissants aideront à dissiper les cauchemars. Encore une fois, la littérature enfantine viendra au secours de nos petits.

---

* Cet apprentissage consiste à savoir que l'entourage continue d'exister en dehors de la vue de l'enfant. Tant que cette expérience n'est pas acquise pour le petit, il risque d'utiliser ses « réveils normaux » pour vérifier si ses parents sont toujours là et il peut même en faire des cauchemars.

Les contes, quelle bonne façon de rejoindre le vécu de ces chers enfants ! Qu'il s'agisse d'explorer les « pulsions interdites » (colère, jalousie, agressivité), les angoisses refoulées (peur, impuissance), ou tout autre sentiment, les héros de leurs histoires deviennent une référence et un miroir. À chaque « heure du conte » nous leur offrons, par un livre ouvert, la même aide précieuse qu'en tant qu'adulte nous recherchons dans le cœur ouvert d'un ami. Vous remarquerez que les enfants préfèrent certaines histoires, tout comme nous choisissons nos oreilles attentives... Par ailleurs, il y a aussi **les émissions télévisées à considérer et à surveiller** : un enfant ne réagit pas toujours sur le moment, mais les images *l'imprègnent*[3].

Voici un exercice utile, pour l'enfant plus vieux, lorsqu'un cauchemar se répète. Il s'agit de **lui faire dessiner ou écrire son mauvais rêve, en lui demandant d'apporter les changements qu'il souhaite**. Il y met une fin heureuse, il s'imagine vainquant ses peurs, ses difficultés, etc. En changeant le scénario du cauchemar, l'enfant transforme la perception qu'il a de lui-même et de la situation. Il se voit capable de s'en sortir plutôt que prisonnier. En parlant avec lui, le parent pourra peut-être percevoir la symbolique du rêve et reconnaître une situation difficile à transformer ou à surmonter.

Finalement, les parents sont les mieux placés pour associer certains événements diurnes aux cauchemars. En répondant pertinemment la nuit et en apportant l'attention et la communication nécessaires durant le jour, les cauchemars devraient s'estomper. S'ils persistent malgré les essais et les efforts parentaux, il est sage de demander l'aide d'une personne spécialisée.

LES ÉVEILS SOUDAINS : AGITATIONS, TERREURS NOCTURNES, SOMNAMBULISME

Contrairement aux cauchemars qui surviennent plus tard dans la nuit, tous ces comportements ont lieu peu de temps après l'heure du coucher, une à trois heures après l'endormissement. Les premiers cycles de sommeil se déroulent principalement dans le stade quatre du sommeil lent (un sommeil plus profond chez l'enfant que chez l'adulte[4]). Lors d'un éveil partiel suivant un tel cycle, l'enfant semble à la fois éveillé et somnolent ; mais certains ont des attitudes plus spectaculaires qui peuvent même faire peur aux parents.

**Voici quelques comportements d'enfants
à la fin du stade quatre de sommeil**[5]
(par ordre croissant d'intensité)

— Fin normale du stade quatre : l'enfant a quelques mouvements corporels, ouvre les yeux, parle de façon inintelligible, mâchonne, etc.

— Somniloquie (automatismes verbaux).

— Il s'assoit dans son lit et porte un regard vide autour de lui.

— Le somnambulisme calme : l'enfant peut sembler chercher quelque chose, mais de façon inappropriée.

— Le somnambulisme agité : il essaie de sortir de sa chambre ou semble vouloir fuir quelque chose.

— Période d'agitations violentes : l'enfant gémit, hurle, donne des coups et « ne semble pas là ».

— Terreur nocturne : cri « à vous glacer le sang », regard d'épouvante ; son cœur bat vite et il panique.

— Véritable terreur nocturne : cri et course violente, risque de blessures.

Tous ces comportements différents ont des points communs. D'abord, on l'a vu, ils surviennent subitement et quelques heures après le coucher. Deuxièmement, l'enfant est confus ; malgré les efforts des parents pour le ramener à la conscience, il ne se réveille pas et ne demande pas à être consolé ; au contraire, l'intervention parentale dans ces cas – prendre ou retenir l'enfant – ne semble que prolonger et augmenter la tension. Finalement, l'enfant ne se souvient plus de ces secousses après coup. Ces périodes durent généralement entre cinq et vingt minutes, mais elles peuvent varier entre une et quarante minutes.

Les agitations et les terreurs peuvent débuter dès l'âge de six mois, parfois avant. Le petit pleure brusquement dans la soirée et il est inconsolable. Les parents pensent alors qu'il a fait un cauchemar. Pourtant, lorsque ces agissements surviennent tôt au début de la nuit et que l'enfant « ne semble pas être là », qu'il ne recherche pas votre réconfort, il s'agit d'un éveil partiel du sommeil profond et non d'une phase de rêves (sommeil paradoxal). Contrairement aux cauchemars dont l'enfant se souvient et craint la répétition, chez l'enfant qui vit des terreurs nocturnes, la crainte de revivre ces moments les soirs suivants est absente parce qu'il ne se souvient de rien. Toutes ces caractéristiques devraient suffire à différencier les terreurs nocturnes des cauchemars.

Que faire dans de telles situations ? Lorsqu'un enfant crie et semble dans un état de panique, il est tout naturel de vouloir l'aider. S'il s'agit réellement d'éveil partiel du sommeil profond, la première chose à faire est de ne rien faire ; mais entendons-nous bien : tout en assurant la sécurité de l'enfant. Rien faire signifie : **ne pas essayer de le réveiller ou de le prendre**. On peut toutefois, lorsque l'enfant se calme, le ramener dans son lit et le couvrir. Avec l'enfant plus vieux, il faut **éviter d'en parler le lendemain matin** parce qu'il ne se souvient de rien et cela pourrait éveiller un sentiment de malaise. L'idée de ne pas avoir le contrôle sur lui-même suffirait à le rendre plus anxieux au coucher.

Lorsque l'enfant est somnambule, le parent peut **lui parler tranquillement et le ramener doucement dans son lit**. S'il y a plus d'agitation, l'adulte doit alors garder ses distances et **prévoir un environnement sécuritaire partout où il circule dans la maison***. Il ne lui sert à rien de parler de tout cela avec l'enfant le lendemain ; ce dernier n'en a pas eu connaissance.

Les comportements bizarres de l'enfant engendrent souvent chez le parent *non informé* de la peur, de l'insécurité, de l'impuissance et de la culpabilité : attitudes facilement concevables. « Mon enfant est-il normal ? » ; « Pourquoi ne se réveille-t-il pas même si je le secoue ? » ; « Suis-je un bon parent ? » ; etc. À bout d'idées et de force, il peut se décourager ou paniquer lui-

---

*   Selon le cas, il s'agit de limiter l'accès aux objets et aux lieux dangereux, de verrouiller et de bloquer les portes et les fenêtres. Une autre action préventive consiste à accrocher un carillon à la porte de la chambre de l'enfant ou tout autre moyen imaginatif pouvant révéler ses déplacements nocturnes.

même. Mais une fois informé des signes reliés aux éveils soudains, des gestes à poser et de l'existence de cas semblables chez d'autres enfants, le parent sait que, même si c'est difficile de voir l'enfant dans un tel état, veiller à sa sécurité est d'abord ce qu'il y a de mieux à faire.

Pour l'instant, voyons quelques façons de traiter les éveils soudains. Chez les jeunes enfants, il est bon de **vérifier si la quantité de sommeil est suffisante**. « [Assurer] des quantités de sommeil nocturne adaptées à l'enfant est souvent le meilleur traitement[6] ». (Voir le tableau : « Durée moyenne du sommeil », chap. 4.) L'enfant qui manque de sommeil a besoin de plus de sommeil profond pour récupérer. « Ce besoin peut empêcher le sommeil profond d'apparaître à la fin du premier ou du second cycle de sommeil et un état intermédiaire d'éveil partiel peut se produire[7] ». Rappellons aussi **l'importance d'un horaire diurne régulier**. En favorisant les rythmes biologiques de l'enfant, on lui donne de meilleures chances d'être bien disposé et de passer calmement du premier au second cycle de sommeil.

Si une durée suffisante de sommeil et un horaire stable semblent améliorer la situation chez les jeunes enfants, que peut-on faire avec les enfants plus vieux (plus de six ans) ? Chez l'enfant plus âgé et chez l'adolescent, il ne semble pas y avoir de difficulté à passer d'un cycle à l'autre ; on peut alors, dans certains cas, considérer la dimension psychologique. Sans que l'enfant démontre de sérieux problèmes, on a remarqué que

[les] problèmes affectifs sont souvent mineurs et concernent la façon dont l'enfant se comporte vis-à-vis de ses propres sentiments. Typiquement, c'est un enfant bien élevé qui a du mal à extérioriser des sentiments qu'il considère comme mauvais : colère, jalousie, culpabilité, haine... **Il faut prendre en considération la fréquence des réveils nocturnes de l'enfant et le contexte dans lequel ils surviennent.** (...)

Plus les épisodes sont fréquents et importants, plus il est plausible que l'enfant soit sous l'effet d'un stress psychologique. Néanmoins, leur fréquence et leur intensité ne sont pas toujours corrélées avec le degré de bouleversement affectif qu'il éprouve[8].

Sans dramatiser ni tirer de conclusions hâtives, on peut **se rendre plus attentif au vécu quotidien de l'enfant**. On découvrira peut-être que plus la communication et l'expression prennent de la place, moins les terreurs surgissent. S'il y a lieu, l'aide d'une personne qualifiée pourra baliser cette démarche.

Parmi les soins à apporter, l'attitude parentale demeure un facteur déterminant. On l'a vu, lors des éveils soudains, l'attitude parentale *utile à l'enfant* est, d'abord et avant tout, une présence qui ne cherche pas à le maîtriser physiquement, mais à le protéger.

Une mère m'a raconté que l'une de ses filles avait eu des éveils partiels agités durant les premières années de sa vie. Ayant eu peu d'informations à ce sujet et suite à de nombreux essais sans résultats pour résoudre ce problème, elle s'en remit à « l'aide invisible »*. À partir de ce jour, l'agitation cessa. Hasard ? Miracle ? Rien de cela. S'il est difficile d'interpréter les résultats avec exactitude, on peut toutefois souligner certains faits. Cette mère a d'abord cessé de se questionner et de s'en faire. (Quoique peu renseignée, elle est parvenue à « lâcher prise ».) En prenant une distance émotionnelle avec son enfant, il lui a ensuite été possible de la border de ses pensées confiantes. Inconsciemment, l'enfant ne peut que bénéficier d'une telle démarche parentale.

Cette mère et d'autres parents m'ont parlé de leur difficulté à rejoindre l'enfant qui « ne semble pas là ». Suite à leurs observations, ils ont conclu ceci : les agitations nocturnes sont des expériences que l'enfant vit intensément au plus profond de son être. On a peu de pouvoir sur ce vécu et peu d'accès direct. En faisant appel à « l'aide invisible » (ou toute démarche visant à reconnaître la vie spirituelle en chaque être humain), on souhaite trouver une solution se situant au même niveau que le problème. Ils rappellent que la confiance est la matière première pour attirer les indications pertinentes à chaque situation.

---

* L'appel à « l'aide invisible » prend une signification différente selon les personnes. Pour certaines, cela représente la prière pure et simple. Pour d'autres, c'est invoquer « l'ange gardien » ou toute autre appellation rejoignant cette notion. Dans certains cas, ce soutien prend la forme d'une petite phrase rassurante lue à l'enfant pendant son sommeil, etc.

Tableau 8.1 « **DIFFÉRENCES ENTRE LES CAUCHEMARS ET LES TERREURS NOCTURNES** »

Cauchemars	Terreurs nocturnes
— Surviennent tard dans la nuit, durant le sommeil paradoxal.	— Surviennent quelques heures après le coucher, durant le sommeil lent et profond.
— Si l'enfant se réveille, il souhaite être réconforté.	— L'enfant est confus et inconsolable. Il ne se réveille pas.
— L'enfant s'en souvient le lendemain et peut s'endormir difficilement les soirs suivants.	— L'enfant ne s'en souvient pas et n'éprouve pas de difficulté à s'endormir par la suite.

Ainsi, ces parents ont réalisé qu'ils n'ont pas nécessairement le « contrôle » de l'aboutissement de la situation ni toutes les raisons profondes de tels comportements. Cependant, en reconnaissant toutes les dimensions de l'être, leurs attitudes ont aidé l'enfant et ils ont appris à l'accompagner avec confiance et persévérance*.

L'ÉNURÉSIE (le pipi au lit)

J'ai hésité à poursuivre ma recherche à ce sujet, car les solutions demeurent discutables et les théories diffèrent d'un auteur à l'autre. Merci aux parents qui, par leurs observations et leur ténacité m'ont permis d'étoffer tant soit peu ce thème.

L'énurésie est **un problème délicat qui demande une attention suivie de chaque cas**. Elle n'a pas de solution facile et instantanée ; plusieurs parents m'en ont fait part, mais ils m'ont aussi partagé leur façon de vivre le plus positivement possible cette expérience. Lorsqu'on essaie de mettre fin à l'énurésie, on doit s'attendre à une progression lente et à des rechutes qui

---

* Les élixirs floraux (des essences de fleurs) et l'homéopathie pourront être utiles dans certains cas parce qu'ils travaillent, entre autres, à des niveaux plus subtils que le plan physique.

sont, fort heureusement, parsemées de découvertes enrichissantes. En traitant ce sujet, j'espère répondre à certaines questions et offrir suffisamment d'options pour stimuler les parents à poursuivre une démarche personnelle.

Il est bon de savoir que « l'énurésie est un problème qui existe dans toutes les sociétés et qu'on l'a observé à travers l'histoire. (...) L'énurésie est parfois très résistante à tous les types d'interventions[9] ». Selon différents auteurs, on parle d'énurésie lorsqu'un enfant continue de mouiller son lit régulièrement après 4 ans ; on mentionne aussi que les garçons en souffrent davantage que les filles.

Par ailleurs, il est très important que les parents sachent que **l'enfant ne fait pas pipi au lit pour leur déplaire et que ce phénomène ne dépend pas de sa mauvaise volonté.** « Certains énurétiques sont difficiles à réveiller, mais la plupart des études suggèrent que ces enfants ne dorment pas plus profondément que les autres[10] ». Pour l'enfant énurétique, la sensation d'une vessie pleine ne représente pas un signal assez important pour le réveiller. L'éducation vésicale, dont il sera question plus loin, l'aidera à associer cette sensation au besoin de se lever et d'aller uriner.

Plusieurs auteurs parlent du facteur héréditaire. On a remarqué que dans environ 75% des cas, l'un des deux parents (ou un membre de la parenté) a déjà été énurétique. Toutefois, le terme hérédité ne devrait pas limiter la recherche et mener à des conclusions fatalistes : « Il n'y a rien à faire, c'est héréditaire ; son père, son grand-père... ». Il convient plutôt de chercher s'il existe des *affinités caractérielles* entre l'enfant et le parent concerné. En fait, on peut trouver un trait commun de leur personnalité – plus ou moins prononcé – relatif à leur vie affective ou émotionnelle. Il y a matière à réfléchir sur ces aspects de l'être qui, *sans être la réponse à tout,* peuvent baliser la démarche de certains parents.

Tous les auteurs sur l'énurésie n'accordent pas la même importance au rôle des émotions. Il demeure toutefois intéressant de noter ce qu'on dit à ce sujet. Les émotions vives donnent envie d'uriner plus souvent. La vessie – tout comme le cœur et les intestins – est constituée d'un muscle lisse qui ne dépend pas de la volonté. (Le muscle qui ferme la vessie est toutefois contrôlable volontairement.)

> On sait qu'une émotion augmente le rythme du cœur ou perturbe le fonctionnement des intestins. De même, elle peut amener une contraction du muscle de la vessie, rendant cette dernière plus petite[11].

Cela pourrait expliquer les rechutes ou l'accentuation du problème lors de situations particulières ou de périodes plus stressantes. « En mouillant son lit, l'enfant exprime inconsciemment ce qu'il est incapable d'exprimer consciemment, mais qu'il ressent au plus profond de lui-même[12] ». On associe souvent les reins à la vie intérieure de l'individu. Pensons seulement à l'expression : *Sonder les reins et les cœurs* qui signifie : « chercher à connaître les forces et les sentiments intimes » (Lexis) ; « l'inconscient, l'instinct et la volonté. » (Robert).

Dans le même ordre d'idée, voici une pensée dont on m'a fait part : « L'enfant qui souffre d'énurésie pleure par le bas ». Cette image parle. Elle doit toutefois attirer l'attention sur *l'expression des sentiments profonds plutôt que sur l'aspect affectif manquant*. En accordant une plus grande place à l'expression des émotions, particulièrement en encourageant l'enfant à pleurer lorsqu'il en a besoin, le parent favorise la libération des tensions au cours de la journée. Différentes situations journalières peuvent engendrer des frustrations chez l'enfant. Il est possible que la sensibilité de certains enfants énurétiques les porte à « emmagasiner » davantage que d'autres ; de là l'importance de les soutenir dans l'extériorisation de leurs émotions*.

> *Les facteurs affectif et émotif dans l'énurésie ne servent pas à culpabiliser les parents, mais à les rendre plus attentifs au vécu de leur enfant. Ils peuvent ainsi favoriser l'expression de ses sentiments et de ses frustrations, valoriser l'enfant et sa confiance en lui-même.*

---

* Dans le massage shiatsu, on considère le chatouillement comme une action bénéfique contre l'énurésie, si l'enfant le souhaite. Cette démarche coïncide avec la théorie de la décharge émotive par le rire, les pleurs, etc.

Par ailleurs, certaines théories rapportent que, quoique l'on fasse, l'énurésie s'estompe à l'adolescence. Les parents peuvent alors penser qu'il ne vaut pas la peine de se soucier d'un problème qui se réglera de lui-même. Pourtant, sans nécessairement trouver une cause précise, les parents découvrent parfois des indications pour renforcer la personnalité de l'enfant : ces particularités qui le suivront sa vie durant. Ainsi, les efforts parentaux auront au moins préparé un terrain propice à l'échange et à une meilleure connaissance de la personnalité de l'enfant. Les signes découverts peuvent être aussi nombreux que le nombre de situations : manque de confiance, besoin d'attention (de la mère ou du père), sentiment de rejet, crainte refoulée, difficulté à supporter certaines pressions extérieures, « trop plein » d'émotions, etc.

Avant cette phase d'observation, les parents doivent toutefois avoir fait un certain cheminement. Au début, ils recherchent souvent une solution miracle. Par la suite, la plus grande difficulté rencontrée est de réaliser leur incapacité à *contrôler* la situation. Lorsqu'ils peuvent appliquer un remède et obtenir de bons résultats, ils s'en trouvent grandis ; dans le cas contraire, l'impuissance peut dégénérer en une culpabilité et une dévalorisation invivables. C'est souvent dans un état semblable que les parents abandonnent. Portant tout le problème sur leurs épaules, ils ne peuvent continuer ainsi. Il en est autrement lorsqu'ils acceptent de ne pouvoir tout contrôler et de laisser sa part de vécu à l'enfant. Une fois dégagés de leurs émotions, les parents peuvent passer à la phase d'observation.

De tels parents m'ont fait découvrir certaines approches. J'en ai retenu une et depuis, j'encourage les parents à *monter un plan* avec leur enfant. Ce « **plan d'arrêt** » consiste simplement, suite à une entente définie *clairement* entre le parent et l'enfant, à faire une pause quotidienne à l'heure du coucher.

Au fond, il s'agit d'un simple rituel, mais davantage et d'abord **axé sur l'expression des émotions** (en échangeant verbalement, en écoutant les confidences de l'enfant, en l'encourageant à pleurer lorsqu'il en a besoin, etc.). On peut aussi utiliser un livre d'histoire traitant de l'énurésie. *Le secret de Dominique*, de Jean Gervais (éd. Boréal, 1987, 48 p.), raconte le quotidien d'un jeune garçon énurétique. En lisant cette histoire, l'enfant peut réaliser qu'il n'est pas le seul à vivre de telles difficultés. Ce volume est un moyen de dédramatiser la situation et d'encourager le dialogue parent-enfant*.

Quelle que soit l'approche utilisée, **une fois l'enfant libéré de ses émotions, le parent veille ensuite à favoriser sa détente** (par le toucher, les massages, la visualisation, etc.). Ce n'est pas nécessairement les longues séances qui comptent, mais les regards et les gestes posés avec soin et amour. L'enfant étant, à chaque soir, confronté à l'idée angoissante d'une autre *nuit humide*, le **« plan d'arrêt » lui permet de se préparer à la nuit dans un climat de confiance et de soutien.**

Lorsque la famille est nombreuse, les parents agissent dans certaines limites et selon leurs priorités. En montant ce « plan d'arrêt » avec l'enfant, il ne s'agit pas de devenir une béquille pour lui, mais de **l'accompagner pendant un certain temps** (environ un mois) et de lui donner des moyens pour qu'il en vienne à s'aider lui-même. Souvent les parents intuitifs développent et transmettent à l'enfant des approches inusitées. (Vous le découvrirez au cours des témoignages du prochain chapitre.)

Le parent a le rôle d'un jardinier : il sème et surveille la récolte. L'enfant, comme la terre du jardin, doit être propice à recevoir la semence. Chaque saison a ses particularités ; si certaines périodes sont plus fructueuses que d'autres, la patience et l'ouverture seront utiles lors des intempéries...

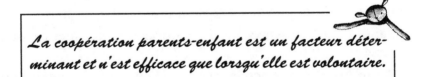

La coopération parents-enfant est un facteur déterminant et n'est efficace que lorsqu'elle est volontaire.

Ce travail d'équipe apporte la complicité des cœurs à travers les actions plus concrètes : le changement et le lavage de la

---

* À la fin, ce livre ne met pas en valeur les théories psychologiques : on les considère discutables ; on y prône davantage les méthodes utilisant certains appareils. Cette attitude est compréhensible : plusieurs approches psychologiques culpabilisent les parents.

literie. Ces derniers étant nombreux et fréquents, le parent épuisé peut toutefois décider de prolonger l'utilisation de couches avec le jeune enfant. *Selon l'âge et la persistance du problème,* cette intervention peut être utile. Graduellement, l'adulte peut choisir, en accord avec le petit, des périodes propices où ce dernier essaie de se passer de ce genre de soutien, où il apprend à se faire confiance et à participer au lavage lorsqu'il mouille son lit.

Finalement, mentionnons que **certains appareils de conditionnement** sont considérés efficaces et sont appréciés par plusieurs parents.

L'énurésie – les solutions et les traitements...
... enrobés d'amour, de patience et de persévérance.

Rappelons qu'il ne s'agit pas de punir l'enfant, mais de le faire participer à la démarche. *Le ton employé par les parents sera pour l'enfant un indice de compréhension ou non, un signe de soutien ou non.* Retenons aussi les trois aspects sur lesquels il est bon de travailler : le contexte affectif, le soutien psychologique et les interventions d'ordre purement physique.

Le contexte affectif :

– Éviter un apprentissage forcé ou précoce de la propreté.

– S'abstenir d'exigences excessives.

– Ne pas culpabiliser l'enfant de ce problème ou, à l'inverse, ne pas profiter de cette occasion pour le garder bébé.

– Parler de ses stress avec lui ; l'encourager à exprimer ce qu'il ressent.

– *Accueillir* cette expérience avec détachement. Accepter qu'on ne puisse pas *contrôler* la situation, mais qu'il est possible d'aider l'enfant par une attitude positive.

– Partager son expérience avec d'autres parents vivant la même situation afin de dédramatiser et de développer la patience, l'assiduité, la persévérance et l'amour essentiels à l'amélioration.

N.B. : Certains produits homéopathiques et des « essences de fleurs », appelées aussi « élixirs floraux », peuvent soutenir et compléter le travail fait au niveau des émotions.

Le soutien psychologique :

– Monter un « plan d'arrêt » avec l'enfant (voir précédemment).

– Établir une relation de confiance, le soutenir et l'encourager lorsqu'il réussit. (On peut utiliser un système de gommettes sur le calendrier afin de visualiser les réussites et planifier des récompenses – V. le témoignage « Au jour le jour », chap. 9.)

– Lui démontrer de l'affection, le sécuriser.

– Encourager les gestes d'autonomie et la confiance en lui. (Dans plusieurs cas, un événement important où l'enfant se sent « grand » et « valorisé » marque la fin de l'énurésie.)

Les interventions de nature physique :

Éducation vésicale* :

Cela consiste à demander à l'enfant de se retenir de plus en plus longtemps avant d'uriner durant le jour. Cette pratique lui apprend à associer la sensation d'une vessie pleine au besoin d'uriner. De plus, s'il cesse son jet pendant qu'il urine, il pratique les muscles de sa vessie et il se sensibilise à leurs signaux. Ces exercices l'aideront à réagir plus vite au langage de son corps pendant la nuit.

***Modération* dans la consommation des liquides après le souper.**

Lever l'enfant :

On peut lever l'enfant avant d'aller se coucher pour lui permettre de vider sa vessie. On recommande toutefois de cesser

---

* Le chapitre « Énurésie », dans *Protégez le sommeil de votre enfant*, apporte une méthode détaillée de l'éducation vésicale.

durant 2 semaines à tous les 3 mois pour qu'il développe le réflexe du contrôle nocturne.

Appareils de conditionnement :

Il existe différents modèles munis d'une alarme se déclenchant dès les premières gouttes. Ce système fonctionne mieux avec des enfants âgés de 7 ans et plus. On dit que les résultats de ces méthodes dépendent de la persévérance. 25% s'améliorent en 2 à 6 semaines, 50% en 3 mois et 90% en 4 à 6 mois[13].

L'efficacité des interventions dans les problèmes d'énurésie varie d'un enfant à l'autre. Voilà pourquoi il importe que les parents et les enfants choisissent les méthodes avec lesquelles ils se sentent le plus à l'aise. De cette façon, il leur sera plus facile de persévérer.

Des témoignages dans le chapitre suivant illustreront quelques-unes de ces démarches persévérantes et louables.

CHAPITRE 9

DES PARENTS ONT DÉMASQUÉ LEURS PROBLÈMES...

(TÉMOIGNAGES)

RAPPEL

Chaque témoignage de ce chapitre, savoureusement partagé, est précédé par les thèmes qui y sont abordés. Certaines personnes ont préféré l'anonymat ; elles signent sous un pseudonyme.

Comme celles du chapitre 3, j'ai reçu ces expériences vécues comme de précieux cadeaux, dans un état d'émerveillement semblable à celui que l'on ressent face aux fleurs qui s'ouvrent. Puissiez-vous, à votre tour, y découvrir des parfums d'espoir et d'amour..

Un énorme « MERCI » aux personnes qui ont eu la gentillesse, l'humilité et la patience de les mûrir à point !

AVERTISSEMENT:

Le partage de ce vécu maternel se veut avant tout le miroir de l'expérience de certaines d'entre nous. Il ne prétend surtout pas apporter une ligne de conduite, puisque chaque situation se doit d'être considérée dans son unicité.

Thèmes abordés : La fermeté douce – Les conséquences de l'accouchement sur l'allaitement et l'enfant – L'aide des méthodes naturelles – L'intuition parentale – Le rituel du coucher.

J'APPRENDS À ÊTRE PARENT.

À la suite d'une première attente remplie de pensées et d'actions de santé, de bienveillance et de préparations matérielles nécessaires... mon mari et moi avons accueilli Josué avec une immense joie. Durant la période d'allaitement – soit cinq mois – nous vivons de beaux moments et ça me permet de le connaître. C'est un enfant rayonnant et actif. J'apprends beaucoup grâce à ce premier enfant. Le seul accroc : il ne fait pas ses nuits. Armée des conseils de l'une et de l'autre et après plusieurs contacts, je décide que tout doit rentrer dans l'ordre. Josué est comblé des soins que je lui prodigue avec mon intuition et mes recherches : dans l'amour et le respect j'applique la fermeté douce, synonyme d'une juste sévérité. À l'âge de huit mois, Josué dort toute la nuit.

Un deuxième enfant se présente 17 mois après le premier. C'est comme le jour et la nuit. Âgé d'un mois, Bénédicto fait ses nuits. L'allaitement qui dure huit mois me permet ce contact étroit et me révèle ce petit être. Il pleure souvent et son pleur sonne celui du « besoin ». Je cherche. Je prie. Une année passe... la plus difficile de ma vie. Je dois apprendre la maîtrise de moi et développer la joie et la simplicité.

Et une fille se présente 17 mois après les deux autres. Elle dort beaucoup. Encore une fois, l'allaitement permet ce précieux contact. D'ailleurs l'horaire de l'allaitement me permet une régénération dont j'ai besoin, il fait partie de mon rituel (aux trois heures le jour et après cinq à six heures minimum la nuit). Elle ne semble toutefois pas satisfaire son appétit et mes seins durs restent chargés. Lors d'une visite chez l'ostéopathe* – pour moi après l'accouchement – Rose-Marie, qui est avec moi, attire l'attention d'une autre ostéopathe. Comme il n'existe

---

* L'ostéopathie vise à rétablir le mouvement et l'équilibre dans les différents tissus du corps, tous étroitement reliés.

pas de hasard, elle est qualifiée dans les soins pour enfants. Eh oui ! Ma fille n'a pas une succion complète ! Lors de sa naissance, son visage a subi une compression, de là, sa difficulté et sa fatigue à vider le deuxième sein. Quelques traitements et voilà que ma fille gazouille... et moi aussi !

Voyant ce résultat, j'amène à son tour mon deuxième la consulter ; Bénédicto vit encore dans ses sons plaintifs. Mon cher fils avec lequel j'ai tant appris à aimer se met à sourire... doucement. Il souffre semble-t-il d'un torticolis de naissance. Qui l'aurait su ? Ne jamais se décourager. Il existe une solution à tout problème.

Dans notre cas, l'ostéopathie porte des fruits plus d'une fois. Voilà qu'à 12 mois et demi Rose-Marie tombe à plusieurs reprises, quelquefois de haut. Elle cesse alors de faire ses nuits. En plus, elle contracte une otite. À mon insistance, j'obtiens un rendez-vous pour Rose-Marie chez l'ostéopathe. Elle lui replace les os du crâne, une vertèbre du cou, ligaments, muscles, etc. Résultat ? Elle se porte drôlement bien et fait à nouveau ses nuits !

Et enfin, pour terminer notre famille, une seconde fille : Élisabeth. Je l'allaite jusqu'à quatre mois. Avec les expériences vécues et accumulées avec ses frères et sœur, Élisabeth sent ma conviction, en ce sens qu'elle doit prendre sa place dans ce petit monde. À un mois, elle dort ses nuits, soit sept à huit heures. Elle reçoit, elle aussi, un suivi en ostéopathie et en naturopathie et se porte bien.

L'intuition de maman s'aiguise au fil des expériences. Avec mes connaissances en médecine naturelle par surcroît, je soigne mes enfants dans la confiance en la Force de la Vie.

Nous avons un rituel diurne auquel chacun participe et le soir, arrive le temps des bains et doucement, la préparation au repos. Quelquefois je leur raconte une histoire, mais en général je fais avec eux une révision de la journée et une prière de remerciement ; c'est le calme qui s'installe. J'ai un peu de temps pour penser à moi et reprendre contact avec mon époux.

Je suis une reine au foyer, une maman à la maison. J'y sens une responsabilité énorme et j'y vis tellement de beaux moments. J'élève des petits êtres... des hommes et des femmes de demain. Je leur cuisine de bons plats simples et sains et je m'assure que chacun reçoit ce dont il a besoin.

Une gardienne assez régulièrement, de bons grands-parents, une femme de ménage à l'occasion, de bons outils de travail, des amis collaborateurs, des moments de silence régénérateur et surtout un papa compréhensif et aidant, c'est nécessaire ! Entre autres, c'est lui qui se lève la nuit pour les enfants, cela fait partie de notre entente. Ensemble, nous formons un couple, une famille, des gens simples qui marchent sur le chemin joyeux de la connaissance et des échanges qui aident à grandir.

L. B. D.

Thème abordé : L'hypoglycémie.

LE SUCRE EN PÉNITENCE

J'ai toujours aimé le goût du sucre. C'était comme une caresse pour mon palais et enfant, je me souviens qu'une sucrerie venait bien souvent effacer mes larmes. Ma pauvre mère était loin de se douter du tort qu'elle me faisait.

Pendant ma grossesse, j'étais très faible ; je ressentais un besoin d'énergie que bien souvent je comblais en consommant un biscuit et un verre de lait. Je me sentais si épuisée que je n'avais pas la force de cuisiner. Dans mon ventre, mon bébé faisait des mouvements saccadés très répétitifs, presque spasmodiques ; cela nous faisait bien rigoler. Mais peu après sa naissance, quand il a présenté les mêmes symptômes et qu'il était trop agité pour dormir, c'était moins drôle.

Il s'est écoulé sept ans avant que l'on puisse découvrir ce qui causait l'insomnie chez mon garçon. Sept années où nous avons consulté bien des médecins. Leurs conseils se voulaient parfois rassurants, parfois alarmants ; mais pendant que les médecins se consultaient, Gabriel luttait contre le sommeil. Il faisait de telles crises pour éviter d'aller dormir que nous en étions rendus aux somnifères. D'ailleurs ces calmants n'ont jamais eu beaucoup d'effet sur lui.

Il a fallu attendre qu'il soit assez vieux pour exprimer ce qui se passait en lui pour comprendre le calvaire qu'il vivait depuis tant d'années ; mon petit était hypoglycémique. L'un des symptômes de cette maladie mal connue est l'angoisse. Pour Gabriel, le moment du coucher était celui où les serrements de poitrine se faisaient les plus violents. Il associait cette sensation à de la peur, ce qui explique les crises qu'il faisait pour éviter qu'on le laisse seul dans sa chambre le soir.

Quand nous avons fait le lien entre le sucre et la qualité de son sommeil et que nous avons découvert les nombreux sucres cachés dans l'alimentation, nous avons apporté les correctifs alimentaires qui s'imposaient. Dès les premiers jours, les résultats ont été extraordinaires et mon petit ne peut consommer une friandise sans que son comportement ne le trahisse. Il n'est pas facile pour lui, comme pour nous d'ailleurs, de résister aux alléchantes suggestions de la publicité. C'est pourquoi nous essayons de rendre disponible une très grande variété de fruits aux heures de collation et de dessert. Lorsqu'il est révolté de ne pouvoir, comme ses petits camarades, aller s'acheter des friandises au dépanneur, nous essayons de compenser. Il existe sur le marché des boissons gazeuses sucrées aux jus de fruits, des biscuits non sucrés et une foule d'autres friandises qui viennent faire oublier quelque peu les désagréments de l'hypoglycémie.

Quand je vois autour de nous des enfants qui sont hyperactifs et insomniaques, je me dis que Gabriel a de la chance d'être sensibilisé aux méfaits du sucre pour sa santé. Combien d'enfants sont actuellement sous médication pour faire taire les symptômes de l'hypoglycémie ? Pas le vôtre j'espère...

M. D.

Thème abordé : L'énurésie.

APRÈS LA PLUIE, LE BEAU TEMPS

Ma fille a mouillé son lit jusqu'à l'âge de douze ans et demi et mes démarches pour enrayer l'énurésie ont été nombreuses. Au cours de cette longue expérience, les consultations, les techniques diverses et les trucs des autres parents se sont succédés et m'ont aidée, sans toutefois régler entièrement la situation. Lorsque ma fille a eu environ cinq ans, j'ai utilisé la « suggestion » le soir et la nuit pendant son sommeil. Vers l'âge de neuf ans, j'ai consulté deux naturopathes et un médecin ; les effets positifs n'ont duré que quelques semaines. Par ailleurs, la dimension intérieure nous paraissait importante. Nous avons donc choisi des enseignements appropriés à son âge qui valorisaient ses qualités et ses forces intérieures. De cette façon, nous lui avons appris que, malgré l'énurésie, il y avait un potentiel merveilleux en elle. Cet apprentissage s'est fait sous différentes formes, entre autres, par des histoires (dont « la jaquette magique » : une façon de renforcer l'attitude mentale). Cette littérature l'a rejointe et l'a guidée dans sa vie quotidienne. Elle a appris à se connaître et à prendre conscience de ses propres valeurs.

Au fil des années, j'ai remarqué que son problème d'énurésie devenait plus prononcé lorsqu'elle éprouvait des difficultés dans ses relations avec les autres, particulièrement avec les jeunes de son âge. J'avais fait mes premières observations à ce sujet – sans toutefois en établir tous les liens – lorsque nous l'avions inscrite deux après-midi par semaine à la garderie ; elle avait trois ans et demi. Elle revenait en pleurant, nous rapportant que les autres enfants ne lui avaient pas permis de partager leurs jeux. Par la suite, à l'école, elle s'est souvent plainte que les élèves ne voulaient pas d'elle. Ma fille était une enfant nerveuse et tourmentée, elle se questionnait beaucoup. C'est après un camp de « Jeannettes », où elle s'est sentie valorisée et appréciée, qu'elle a cessé de mouiller son lit. On l'avait désignée « la Jeannette du camp ».

Le problème d'énurésie de notre fille nous a fait grandir. Le cheminement que nous avons fait avec elle nous a appris à développer *un amour inconditionnel* et ce, malgré les difficultés et les découragements inévitables. En effet, avant de mieux comprendre cette situation, nous avons vécu des sentiments d'impuissance, de révolte, de déception, de non-acceptation, de culpabilité et d'échec, le tout couronné d'une très grande fatigue physique et d'un manque de sommeil. Nous devions parfois nous lever quatre à cinq fois par nuit pour changer le lit. À certains moments, nous avons même été obligés de lui donner un bain. Quand les menstruations ont commencé, la situation a été encore plus lourde et délicate. Nombreuses ont été les journées de lavages de draps et de couvertures, de désinfection du matelas (malgré les plastiques utilisés), sans oublier les dépenses occasionnées par ce problème. J'ai aussi été déçue par certaines techniques et philosophies *dans lesquelles j'avais tout misé.* Je pensais trouver des solutions instantanées mais par la suite, j'ai réalisé que le travail devait se faire à plusieurs niveaux avant que les résultats se manifestent. Et combien de remises en question face à moi-même et à ma valeur en tant que mère ! Suite à des lectures, j'ai gardé des réserves face à certaines d'elles qui parlent des relations de couple et de leur impact sur l'enfant. Il n'y a pas de parent sans problème et d'humain parfait.

Notre fille – maintenant adulte – a trouvé une grande partie de sa réponse. Elle avait besoin de renforcer sa personnalité, de s'affirmer, de développer sa confiance en elle et sa force intérieure.

Avec un recul, je constate que j'ai trop porté le poids de ce problème. C'est pourquoi, je pense qu'il est important d'avoir ou de chercher une aide physique et morale constante. *Lorsque nous portons le poids de la vie de ceux que nous aimons, nous n'avons pas la disponibilité pour les aider adéquatement.* Tant que nous sommes *enchaînés* par les émotions, nous ne pouvons agir efficacement et avoir le cœur ouvert. Soutenons-les, aimons-les, laissons-les assumer et vivre leur vie. Les enfants ont les ressources nécessaires à l'intérieur d'eux-mêmes pour s'épanouir. Ne perdons pas espoir. Tous nos efforts et nos semences portent fruits un jour.

Arc-en-ciel.

Thèmes abordés : L'énurésie – L'aide des méthodes naturelles.

UNE OREILLE ATTENTIVE

Laver des draps a été une routine quotidienne chez-nous. Ma belle-mère m'a dit de ne pas m'en faire, elle a connu ça et a elle-même uriné au lit jusqu'à l'adolescence. Ne sachant trop sur quel terrain chercher, j'acceptai notre situation. Un jour, ça passera... Il n'y a pourtant pas d'effet sans cause !

Jusqu'à ce que ma fille ait six ans, j'ignore, en quelque sorte, ses pipis nocturnes. Lorsqu'elle débute sa première année scolaire, la situation empire. Je la lève avant d'aller me coucher et malgré cela, le lit est toujours mouillé. De plus, elle commence à se ronger les ongles. Une discussion avec Sylvie me stimule à aller plus loin. Encouragée, je pars à la découverte du « pourquoi ? ».

Première démarche : radiographies et tests, les résultats : tout est normal. Ce premier pas nous sort de notre silence. Ma fille et moi commençons à nous parler du pipi au lit. Par la suite, mon réflexe est d'aller chercher de l'aide à l'extérieur, mais je réalise vite que les personnes les mieux placées demeurent nous-mêmes, vivant quotidiennement avec nos enfants.

Nous décidons alors, d'un commun accord, de nous donner rendez-vous pour des « traitements d'amour » afin de soigner les pipis au lit, tout comme si nous prenions rendez-vous avec un thérapeute. À heure fixe, tous les soirs, pendant environ 15 minutes, on fait le traitement (appelé « plan d'arrêt » dans le chapitre précédent). Je lui masse – sans technique nécessairement – les pieds, les bras, je lui touche l'abdomen et le front. En fait, pendant ces 15 minutes, je la contacte physiquement. Elle parle beaucoup et *c'est là ma première découverte !* Je suis surprise de voir la colère, la frustration qu'elle vit, surtout à l'école avec les amis ; toutes ces tensions en classe ! Son professeur m'en parle comme d'une enfant au-dessus de ses affaires, débrouillarde et sûre d'elle-même. Bref, elle fonctionne très bien, mais à quel prix ? Essayer d'être parfaite ! Je réalise la pression intérieure qu'elle se donne pour arriver à cette image.

Comme prévu, après dix jours, nous cessons les traitements. Évidemment, ses deux frères ont envie d'avoir, eux aussi, leur « traitement d'amour ». Satisfaire tout le monde devient parfois exigeant. Toutefois, ces pas m'ont amenée à être plus attentive et à encourager l'expression des émotions de ma fille. L'heure du coucher continue d'être un moment propice à l'échange. Cette démarche, à elle seule, apporte une amélioration. Au début, elle faisait deux pipis par nuit, maintenant, une moyenne d'un aux deux jours. Elle cesse aussi graduellement de se ronger les ongles.

Au fil des jours, marqués de succès et d'échecs, je m'aperçois que je porte trop le problème sur mes épaules. Lorsque je m'occupe moins de faire un suivi, ma fille relâche et le retour des nuits mouillées ne semble pas trop la déranger. Je comprends alors que nous n'arriverons à rien si le désir ne part pas *d'elle-même*. J'ai cessé de la lever en soirée depuis un bon moment et maintenant nous décidons, d'un commun accord, qu'elle s'occupe de ses couvertures si elles sont mouillées et que je fais le lit lorsqu'il est sec. Toutefois, je suis à l'écoute et je fais des liens entre ce qu'elle vit et le débit de pipi au lit. Je note aussi qu'il y a des rechutes lorsqu'elle a une grippe. Ses reins sont fragiles, je le constate par la sensibilité du point réflexe du rein situé sous le pied (approche par la « réflexologie »).

Entre temps, il m'arrive de la mettre en situation pour voir si elle ira se chercher des outils. Nous rencontrons une acupunctrice qui dit pouvoir l'aider, mais ma fille ne démontre pas d'intérêt... Je continue patiemment à la mettre en situation tout au long de notre route. Pour moi, il est primordial que la prochaine démarche vienne d'elle.

Un jour, elle fait connaissance avec les « élixirs floraux ». C'est exactement ce dont elle a besoin et elle est *prête* à le recevoir. Cet élixir est accompagné d'une petite phrase à méditer : « *Le jour et la nuit, je suis une fleur dans le jardin du Créateur.* »* Cette petite phrase, tel un baume, touche un point sensible, peut-être même le noyau de son problème. Elle n'a pas à se mettre de pression pour être la première, la plus belle, la plus

---

*   Élixir et pensée de *L'Armoire aux Herbes.*

gentille. Elle doit simplement *être* et reconnaître qu'elle est une fleur *unique* au-delà des images et des apparences. L'élixir n'est pas l'ultime solution, mais durant une période précise, il soulage et joue un rôle important dans la démarche de ma fille. Elle va jusqu'à un mois sans mouiller son lit.

Aujourd'hui, un an et demi après ma discussion avec Sylvie, chaque démarche nous enseigne davantage et nous emmène de découverte en découverte. Aussi le mur infranchissable que je percevais au début se dissout plus rapidement que je ne l'aurais imaginé. Maintenant, on met moins d'attention à savoir s'il y a pipi ou non. Quand celui-ci revient, on se demande plutôt comment notre fille se sent, si elle se sent aimée, si elle se sent comme une belle fleur dans le jardin du Créateur ! Pour ma part, il fut bon de me débarrasser de cette soi-disant culpabilité qui m'a fait me demander : « Suis-je une bonne mère ? ». À présent, j'ai compris que chaque fleur est unique et que certaines ont besoin de petites attentions spéciales, tout simplement.

Comme toutes les épreuves sur notre route, nous percevons maintenant le pipi au lit comme un outil, un indicateur, un cadeau même ! Car il nous rappelle le moment de s'intérioriser, d'être un peu plus à l'écoute afin de s'harmoniser.

Mélodie d'Espoir.

Thème abordé : L'énurésie.

AU JOUR LE JOUR

Parler d'énurésie quand on a un garçon de dix ans qui vient à peine de diminuer considérablement de mouiller son lit, c'est se rappeler une foule de petits trucs, de discussions, de remises en question et aussi des moments de découragement... Car il y a des jours où j'ai eu l'impression que même la laveuse automatique me suppliait de ralentir la cadence ! Par contre, c'est aussi l'histoire d'une belle complicité qui s'est établie entre notre fils et nous.

À travers les « trucs », soit le calendrier avec récompense, les massages avant de dormir, le rappel des exercices de « retenue » durant le jour et la recherche du pourquoi, une relation de compréhension mutuelle s'est installée. Chacun reconnaissant les inconvénients que la situation apportait à l'autre. Pour les parents : une impression de culpabilité et un surplus de travail ; pour l'enfant : de la gêne et des privations.

Je me demande parfois s'il n'avait pas mouillé son lit, jusqu'à quel point j'aurais pris le temps avant son sommeil de lui parler de sa journée, de le masser, d'échanger avec lui. Cette méthode qui visait à le détendre avant de dormir n'a pas eu d'effets positifs marquants au niveau du « pipi au lit », mais la relation parents-enfant, elle, s'est nourrie grandement de ces moments de tendresse*. Le truc calendrier/récompense a connu, dans notre cas, des résultats plus remarquables. Suite à une de ces périodes réussie avec récompense obtenue, notre garçon a cessé de mouiller son lit pendant environ une année**. Puis, c'est revenu. Il mouillait son lit occasionnellement et le rythme s'est accentué jusqu'à deux ou même trois fois la même nuit. Alors on a cherché une cause, un événement. Nous n'avons rien trouvé. Il avait à peu près huit ans à ce moment. Pendant l'année suivante, il n'y a pas eu d'amélioration ni d'aggravation.

Et puis, il y a quelques mois, mon fils m'annonçait fièrement qu'il ne mouillerait plus son lit. Il en avait la certitude parce qu'il avait découvert un léger duvet sur ses organes génitaux. Une amie nous avait confié plus tôt que son garçon avait cessé complètement de faire pipi au lit à la puberté.

Mon « petit homme » a en effet depuis huit mois diminué grandement ses pipis. Il lui arrive encore parfois de s'échapper, mais ce n'est vraiment pas régulier. Il y a quelque chose par contre qui continue régulièrement. On s'offre toujours un moment d'échanges dans la soirée ; même si ce n'est pas long.

---

*   Notons tout de même un moyen improvisé qui a été utile. Un soir, je lui ai demandé d'imaginer un fil reliant sa vessie et ses pensées. Chaque soir suivant, il connectait ce petit fil avant de s'endormir afin de se préserver des pipis. Cette méthode a été efficace pendant quelques mois.

** Contrairement à ce que l'on pourrait penser, les bons résultats se sont poursuivis dix mois après l'obtention de la récompense. Je suppose que la période précédant son cadeau a été un réel entraînement dont les effets sont demeurés.

Quelques mots sur la journée passée, sur ce qui nous attend demain, un petit massage ou une lecture à voix haute...

En somme, nous n'avons pas découvert de moyen miracle pour résoudre notre problème, toutefois je crois que nous avons adopté une façon positive de le vivre au quotidien. Ainsi chacun en sort grandi.

Danielle.

PARTIE IV

DOUCEURS DU CŒUR

(UN CLIN D'ŒIL À NOS PETITS TRÉSORS)

CHAPITRE 10

COMPTINES

Dans cette partie, je vous propose quelques textes écrits en pensant aux doux moments passés avec les enfants avant leur coucher. Sous forme de comptines, elles préparent l'enfant au sommeil. En fait, elles vous inciteront peut-être à composer vos propres textes et à inventer des histoires tirées de votre quotidien. Ces moments se vivent dans un état de gratitude, car ils sont de réels cadeaux.

Rappelons que la meilleure façon de communiquer une valeur importante à l'enfant – dans notre cas, le sommeil – est de se servir des images de la nature qui l'entourent. Lui parler de sa « Minette » qui va dormir, de la plante qui se referme le soir pour ne s'ouvrir qu'au matin : voilà des exemples concrets qui éveillent en lui des images simples, claires et vivantes.

Enfin, avant de conclure cet ouvrage, il m'apparaît important de faire un clin d'œil, un cadeau aux petits et à l'enfant qui vit en chacun de nous...

AMIE LA LUNE

As-tu vu la lune,
belle comme une prune,
colorée d'orange
ou de neige blanche?

Ronde ou en quartier,
elle vient me charmer
et m'aide à compter
les mois de l'année.

Lorsque vient la nuit,
je la remercie
de bien m'éclairer
et de me border.

J'éteins la lumière.
Plus de commentaires,
je ferme les yeux
puis, je fais un vœu.

Bonne nuit, amie la lune!

LA FÉE ÉTOILE

Lorsque vient la nuit,
les étoiles sont mes amies.

Elles jouent à cache-cache
derrière les nuages.

Parfois, je m'imagine géant
avec elles dans le firmament.

L'autre soir,
il faisait noir.

Fée Étoile m'a dit:

Bonne nuit,
mon ami.

Des merveilles
dans ton sommeil.

1 – 2 – 3 ...

1 – 2 – 3   j'ai mon pyjama,
4 – 5 – 6   au lit sans caprice,
7 – 8 – 9   sans mes souliers neufs,
10 – 11 – 12   mais bordé d'amour.

PRÉLUDE À LA NUIT

Quand le hibou fait Hou! Hou!
et la chouette des pirouettes;
l'hirondelle ferme ses ailes,
ne répond plus à l'appel.

Quand les poissons, les abeilles,
s'endorment ou bayent aux corneilles;
bien allongé dans mon lit,
je me prépare à la nuit.

Je réunis mes deux mains,
remercie pour aujourd'hui;
dormirai jusqu'à demain;
câlin, bisou, bonne nuit!

DOUCEUR NOCTURNE

Dépose un peu de bleu dans mes yeux;
le bleu du ciel, doux comme le miel.

Dépose un peu de vert dans ma tête;
le vert des prairies m'assoupit.

Dépose un peu de rose sur mes joues;
le rose des fleurs calme mon cœur.

Dépose un peu de mauve sur mes paupières;
le mauve des violettes en fines gouttelettes.

Ensuite, ajoute:

La brillance des étoiles
et la clarté viendra border ma nuit.

DOUCEUR MATINALE

Dépose un peu de blanc dans mes yeux;
le blanc des nuages m'encourage.

Dépose un peu de jaune dans ma tête;
le jaune du soleil m'émerveille.

Dépose un peu d'orange sur mes joues;
l'orange du fruit me réjouit.

Dépose un peu de rouge sur mes lèvres;
le rouge de la pomme me donne la forme.

Ensuite, ajoute:

La rosée du matin
Et la paix guidera mon chemin.

MA SORTIE AU BOIS

Aujourd'hui, je suis allé au bois.
J'y ai rapporté:

De vertes fougères,
des fleurs printanières,
un bouquet doré
pour agrémenter
ma chambre à coucher.

Qualités, j'ai recueillies du bois.
J'y ai découvert:

La douceur du vent;
la force de l'arbre,
grand comme un géant,
droit et souriant.

Nez contre l'écorce,
ai frotté mon torse;
avons partagé
secret bien gardé.

Aujourd'hui, je suis allé au bois.
J'y ai retrouvé: ma joie!

FAIS DODO
(ADAPTATION)

SUR L'AIR DE « FAIS DODO »...

Fais dodo, c'est bon pour ta mère (ton père).

Fais dodo, bon pour toi aussi.

Fais dodo, dans ta bulle d'amour.

Fais dodo, à demain matin.

CONCLUSION

À travers les chemins parcourus dans ce livre, des approches techniques se sont révélées, tels des panneaux indicateurs simples à lire mais pas toujours faciles à suivre... Des regards poétiques se sont parfois posés sur les mille et une facettes du sommeil de nos enfants, telles des haltes rafraîchissantes au milieu de l'exigeante excursion qu'est l'éducation.

En laissant des repères, j'ai fait un bout du chemin avec vous, mais le meilleur reste à écrire et à découvrir... c'est-à-dire *votre histoire* au rythme des efforts et de la persévérance, teintée de l'amour pour vos petits trésors !

Si la réalisation de ce volume devient une aide pour vous, elle l'aura d'abord été pour moi. On apprend aux autres ce que l'on a de plus important à apprendre soi-même !

Accueillons l'enfant en nous. Expérimentons la vie et dégustons les saisons avec nos enfants. Vivons simplement et grandissons avec eux.

Sylvie Galarneau

ANNEXE

« SOUVENEZ-VOUS... » (1)

Papa, maman, les bonnes habitudes de sommeil s'apprennent au berceau.

Pour favoriser mon sommeil, veillez, durant le jour, à :

- Me stimuler suffisamment – plans affectif, moteur, verbal – en tenant compte de mon développement et de mon tempérament. *Je suis unique !*
- M'emmener quotidiennement dehors. *C'est bon pour mon équilibre !*
- Me donner un horaire régulier – dans l'heure de mes repas, siestes, bain, etc... *Le rythme, ça me sécurise !*
- Comprendre mon besoin de pleurer et de m'exprimer. *Ça me libère... Moi aussi je vis des tensions !*

Pour favoriser mon sommeil, veillez à l'ambiance :

- Aérer, chauffer et humidifier convenablement ma chambre à coucher.
- Tamiser ou fermer l'éclairage.
- Éloigner toutes stimulations avant de me coucher. *Apprenez-moi à préférer les contacts humains à la télévision !*

Pour favoriser mon sommeil, veillez, lors de mon coucher, à :

- Respecter un rituel du coucher agréable. *C'est si réconfortant !*
- M'apprendre à m'endormir seul. *Évitez de me donner des habitudes dont je pourrais me débarrasser difficilement !*
- Me sensibiliser dès mon jeune âge à l'importance du sommeil et aux beautés nocturnes. *J'aime savoir que les animaux dorment, que mon corps se régénère. Exceptionnellement, allons admirer le ciel étoilé...*

Pour favoriser mon sommeil, veillez, durant mes réveils, à :
(si mes réveils deviennent une habitude et que je suis en santé)

- Intervenir brièvement. *Ça me rappelle que la nuit est faite pour dormir !*
- Garder une attitude ferme et douce. *Soyez attentifs à vos gestes et à la façon dont vous me parlez. J'ai besoin d'être sécurisé !*

« SOUVENEZ-VOUS... » (2)

Papa, maman, dormir ses nuits c'est important !

Papa, maman...	Bébé...
❧ Ce temps est précieux pour vous ressourcer (sur les plans physique, psychologique, affectif et spirituel). ❧ Vous protégez ainsi votre territoire intime. ❧ Vous avez une meilleure disponibilité durant le jour (physiquement et psychologiquement). *J'aime votre vigueur et votre bonne humeur.*	❧ Mon corps se regénère. Je donne la chance à mes glandes de faire leur travail... elles me font grandir ! ❧ J'apprends à surmonter mes premières expériences de solitude (autonomie). ❧ Seul, je renforce mon champ d'intimité et je respecte le vôtre. ❧ Je découvre qu'il y a un temps pour donner et un temps pour recevoir. *L'équilibre ça compte toute la vie !*

« SOUVENEZ-VOUS... » (3)
Papa, maman, soyez réalistes.
Maintenant que je suis là, vos priorités peuvent changer...

Pour favoriser notre quotidien, veillez à :

❤ Laisser accumuler la poussière ou à demander de l'aide. *Je suis un « petit mousse » plus important que des mousses qui roulent...*

❤ Faire une révision des tâches inutiles ou de celles qui peuvent attendre. *En période de difficultés nocturnes, retrouver de bonnes nuits de sommeil devient la priorité.*

❤ Vous reposer en même temps que moi. Des idées claires attirent des solutions claires.

❤ Vous ressourcer dans des activités qui vous intéressent – peut-être peu de temps à la fois, mais régulièrement. *C'est envahissant d'être le seul point d'intérêt ; c'est stimulant des parents passionnés !*

❤ Vous joindre à des groupes de parents et faire appel à des organismes d'aide si nécessaire. *Lancer un S.O.S. pour éviter la détresse ; tendre la main pour de meilleurs lendemains.*

ÉPILOGUE

Suite à la lecture de ce volume, j'invite les personnes désireuses de communiquer leurs commentaires ou leur témoignage
à l'adresse électronique suivante : **faisdodo@moncourrier.com**
ou en écrivant aux Publications MNH inc. à mon attention. S'il
m'est impossible de répondre individuellement, ces expériences seront toutefois considérées et pourront être utiles lors d'une
nouvelle édition.

RÉFÉRENCES

Partie I

CHAPITRE 2 : Nos attitudes sont des messagères

1. Richard FERBER, *Protégez le sommeil de votre enfant*, traduit de l'anglais par Yvonne Navelet, Paris, ESF, coll. La vie de l'enfant, 1990, p. 78.
2. Jeannette BOUTON, *Réapprendre à dormir*, Paris, éd. ESF, coll. Science de l'éducation, 1974, p. 17 et 19.
3. FERBER, *op. cit.*, p. 77.
4. Dr Anne BACUS, *L'éveil sensoriel du nouveau-né*, Paris, C.I.L. Vie pratique/Enfances, 1988, p. 8.
5. Dr J.P. COHEN, Pr M. Rufo, *Si bébé pouvait parler*, Paris, éd. Nathan, coll. « Pour aider votre enfant », 1989, p. 32.
6. Dominique GARNIER, « À quel âge peut-il avoir des responsabilités ? », *Parents*, n° 233 (juillet 1988), p. 60.
7. Michèle DEMOLDER, « L'importance du langage », *Le Monde du Graal*, n° 157 (1985), p. 24.
8. Diane E. PAPALIA, Sally W. OLDS, *Le développement de la personne*, traduit par Françoise Forest, 2e éd., Montréal, éd. HRW ltée, 1983, p. 136.
9. Dr Julien COHEN-SOLAL, « Les conditions du premier dialogue », *Science et Vie*, n° 145, p. 39.
10. Aletha J. SOLTER, *Mon bébé comprend tout*, traduction française, Toulouse, éd. Privat, 1989, p. 47.
11. *Ibid.*, p. 74.
12. *Ibid.*, p. 136.
13. *Ibid.*, p. 15 et 106-107.

14. *Ibid.*, p. 65.

15. *Ibid.*, p. 106.

16. FERBER, *op. cit.*, p. 46.

17. *Ibid.*, p. 87.

18. Danièle STARENKYJ, *Le bébé et sa nutrition*, Richmond, Orion, 1987, p. 98.

19. *Ibid.*, p. 118.

20. Michèle DEMOLDER, « Le véritable amour », *Le Monde du Graal*, n° 172 (1988), p. 13 et 19.

21. Ernest SCHMITT, « Peut-on encore vivre en famille ? », *Le Monde du Graal*, n° 146, p. 12-13.

22. Khalil GIBRAN, *Le prophète*, 19e éd., s.l., Casterman, 1956, p.19-20.

Partie II
CHAPITRE 4 : Le sommeil n'a plus de secrets...

1. Robert DEBRÉ, Alice DOUMIC, *Le sommeil de l'enfant avant trois ans*, Paris, P.U.F., 1959, p. 4.

2. Ernest SCHMITT, « Les secrets du sommeil », *Le Monde du Graal*, n° 173 (1988), p. 3.

3. Jeannette BOUTON, *Vive le sommeil*, Paris, Hatier, coll. Grain de Sel, 1987, p. 88.

4. *Ibid.*, p. 21.

5. FERBER, *op. cit.*, p. 32.

6. *Ibid.*, p. 27-28-29.

7. DEBRÉ, DOUMIC, *op. cit.*, p. 23.

8. FERBER, *op. cit.*, p. 33.

9. Ernest SCHMITT, *Le Monde du Graal*, nos 173 et 174.

10. *Idem*, « Pourquoi rêvons-nous ? », *Le Monde du Graal*, n° 174, p. 2.

11. *Idem*, « Pourquoi rêvons-nous ? », *Le Monde du Graal*, n° 174, p. 3.

12. *Idem*, « Les secrets du sommeil », *Le Monde du Graal*, n° 173, p. 11.

13. FERBER, *op. cit.*, p. 32.

14. Ernest SCHMITT, *op. cit.*, « Pourquoi rêvons-nous ? », *Le Monde du Graal*, n° 174, p.10.

15. Pierre FLUCHAIRE, *Guide du sommeil*, Paris, éd. Ramsay, 1984, p. 60.

16. FERBER, *op. cit.*, p. 31-32.

17. *Ibid.*, p. 34.
18. *Ibid.*, p. 33.
19. Catherine JALBERT. J'ai noté ces propos à l'émission télévisée *Salut Bonjour* au réseau TVA, le 8 juin 1992.
20. FERBER, *op. cit.*, p. 35.
21. *Ibid.*
22. *Ibid.*
23. *Ibid.*, p. 42.

Partie III
CHAPITRE 5 : Raconte-moi ta journée et je dessinerai
                 ta nuit

1. COHEN, RUFO, *op. cit.*, p. 41-42.
2. FERBER, *op. cit.*, p. 112.
3. *Ibid.*, p. 48.
4. *Ibid.*, p. 47.
5. *Ibid.*, p. 48 et 47.
6. *Ibid.*, p. 50.
7. COHEN, RUFO, *op. cit.*, p. 138.
8. Catherine GIOCANTI, « Écrans cathodiques : attention danger ! », *Le Journal Vert*, n° 9 (été 1991), p. 3.
9. Louis SLESIN, Andrée LAURIER, « Électricité et Santé, mieux se protéger », *Coup de Pouce*, (octobre 1992), p. 61.
10. COHEN, RUFO, *op. cit.*, p. 116.
11. DEBRÉ, DOUMIC, *op. cit.*, p. 9.
12. FERBER, *op. cit.*, p. 60.
13. *Ibid.*, p. 59.
14. *Ibid.*, p. 69.
15. *Ibid.*, p. 44.
16. COHEN, RUFO, *op. cit.*, p. 100.
17. *Ibid.*, p. 99.
18. Luce MARGAILLAN-FLAMENNGO, *La succion du pouce et sa thérapeutique*, Paris, éd. ESF, coll. Horizons de la psychologie, 1971, p. 32.
19. *Ibid.*, p. 68.
20. *Ibid.*, pp. 68-69.

21. *Ibid.*, p. 108.
22. TRAPMANN, LIEBETRAU, ROTTHAUS, *Les petits problèmes de nos enfants*, Paris, éd, du Centurion, 1973, p. 289.
23. MARGAILLAN-FLAMENNGO, *op. cit.*, p. 70.
24. *Ibid.*, p. 110.
25. J. SOLTER, *op. cit.*, p. 35.
26. MARGAILLAN-FLAMENNGO, *op. cit.*, p. 110.
27. TRAPMANN, LIEBETRAU, ROTTHAUS, *op. cit.*, p. 80.
28. *Ibid.*, p. 82.
29. J. SOLTER, *op. cit.*, p. 61.
30. DEBRÉ, DOUMIC, *op. cit.*, p. 10.
31. SLESIN, LAURIER, *op. cit.*, p. 62.
32. *Ibid.*
33. Jeannette BOUTON, *Réapprendre à dormir*, Paris, éd. ESF, coll. Science de l'éducation, 1974, p. 55.
34. J. SOLTER, *op. cit.*, p. 32-33.

Partie IV
CHAPITRE 6 : Remettons les pendules à l'heure

1. FERBER, *op. cit.*, p. 111.
2. *Ibid.*, p. 73.

CHAPITRE 7 : L'état de santé au banc des accusés

1. FERBER, *op. cit.*, p. 81 et 88.
2. J. SOLTER, *op. cit.*, p. 111.
3. Adelle DAVIS, *Let's Get Well*, New York, Signet, 1972, p. 222, cité par Danièle STARENKYJ, *Les cinq dimensions de la sexualité féminine*, Richmond, Orion, 1980, p. 163.
4. KRAUSE et HUNSCHER, *Food, Nutrition and Diet Therapy*, Philadelphie ; W.B. Saunders Co. 1972, cité par Danièle STARENKYJ, *Les cinq dimensions de la sexualité féminine*, Richmond, Orion, 1980, p. 163.
5. Johanne VERDON-LABELLE, n.d., *Soigner avec Pureté*, Montréal, éd. Fleurs Sociales, 1984, p. 235.
6. *Ibid.*, p. 236.

7. Pierre-Paul ARRIGHI, « L'insomnie, une maladie guérissable », *Le Journal Vert*, nº 15 (hiver 1992-1993), p. 14.

8. Danièle STARENKYJ, *Le bonheur du végétarisme*, 4ᵉ édition, Bellechasse, Orion, 1980, p. 320.

9. Jeanne d'Arc MARLEAU, I.L., *L'hypoglycémie, on s'en sort...*, éd. D'ARC, 1989, p. 75.

10. Danièle STARENKYJ, *L'enfant et sa nutrition, op. cit.*, p. 38.

11. *Ibid.*, p. 35 à 42.

12. Danièle STARENKYJ, *Mon petit docteur*, Richmond, Orion, 1985, p. 149, cité par Danièle Starenkyj, *L'enfant et sa nutrition*, p. 42.

13. Bruno BETTELHEIM, *Pour être des parents acceptables*, traduction française : Éditions Robert Laffont, Paris, 1988, France Loisirs, p. 227.

14. COHEN, RUFO, *op. cit.*, p. 157.

15. Pierre FLUCHAIRE, *op. cit.*, p. 181.

16. FERBER, *op. cit.*, p. 93-94.

17. *Ibid.*, p. 95.

CHAPITRE 8 : Pas de panique !

1. FERBER, *op. cit.*, p. 153 et 146.

2. BETTELHEIM, *op. cit.*, p. 210.

3. FERBER, *op. cit.*, p. 162 et 163.

4. *Ibid.*, p. 136.

5. *Ibid.*, p. 134.

6. *Ibid.*, p. 141.

7. *Ibid.*

8. *Ibid.*, p. 144-145.

9. *Ibid.*, p. 169 et 172.

10. *Ibid.*, p. 174.

11. TRAPMANN, LIEBETRAU, ROTTHAUS, *op. cit.*, p. 295.

12. *Ibid.*, p. 296.

13. FERBER, *op. cit.*, p. 181.

LISTE DES TABLEAUX

TABLE DES MATIÈRES

MEMBRE DU GROUPE SCABRINI

Québec, Canada
2001